Herdis Møllehave

Le

Roman

Lindhardt og Ringhof

Le
© 1977 Herdis Møllehave
Bogen er sat med Times
og trykt hos Nørhaven Bogtrykkeri a/s, Viborg
4. oplag
Printed in Denmark 1977
ISBN 87-7560-224-5

Med hjertelig tak til Inger Holm-Jacobsen
for hendes store hjælp og engagement.

,,Den som er advaret på forhånd
står bedre rustet,
det er muligt.
Men var der nogen der hørte efter?
Det eneste jeg kunne høre
var mit eget hjertes hamren.''

Erica Jong: Luft under vingerne

Indhold

Forord

Virkeligheden overgår tit fantasien i utrolighed. Hvis virkeligheden skal virke sandsynlig, må den omskrives.

I forholdet til personerne i denne bog har det ikke været noget problem, idet både mænd og kvinder er opdigtede. Hvis nogen genkender sig selv, eller tror, de genkender nogen, skyldes det, at jeg i min beskrivelse har ramt noget generelt.

Men indholdet?

Mænd, følelser, kvinde-mandsproblematik, angst, depression, problemer med at finde sin placering, som nok i høj grad hænger sammen med at finde sin identitet. Opdragelse af børn. Opdragelse til hvad?

Bogen handler om en enlig kvinde på 30 år.

Jeg tror, det meste vil være typisk for mange kvinder, enlige og gifte.

Måske med undtagelse af den måde, hovedpersonen dør på. Der er mange måder at dø på. De fleste *dør* lidt efter lidt.

Mange opgiver. Nogle enkelte, men måske flere og flere, tager en kamp op, som de ved, de aldrig selv vil se lykkes.

De gør det for deres børns skyld.

De gør det for fremtidens skyld.

De gør det for mændenes skyld.

Nogle tror, de vil opleve en sejr, og ikke med mændene som tabere.

De fleste lever bare videre, på mere eller mindre gunstige eller ugunstige betingelser.

Mere og mere resignerede eller opgivende:
Sådan er livet jo.
Eller er det?
Denne bog er ikke ment som en kvindesagsroman. Skal den rubriceres, er det mit ønske og håb, at den må blive et indlæg i den mandsdebat, der langsomt er ved at komme igang.

Den tilegnes hermed KNUDEMÆND og alle andre bange mænd og kvinder.

Selvmord

Livet tæller ikke,
kun tilintetgørelsen

Hun stod op af sengen, klædte sig på i sit sædvanlige tøj, cowboybukser og sort bomuldsbluse. Hun så sig for første gang i seks uger i spejlet. Lidt chokeret. Havde kunnet mærke det på bukserne, men alligevel. Tænkte, mens hun forsøgte at smile ironisk til spejlbilledet, på det bibelcitat, som hun havde brugt ved dimissionstalen: „Men fra den der intet har, skal også det tages ..." Så et sekund psykiateren for sig. Maskulin, flakkende øjne, og bevidst om sin egen virkning på patienter.

– Patienter af hvilken type, tænkte hun.

Havde en dårlig smag i munden og børstede tænder. Ironisk tænkte hun: det ender med, at jeg også lægger make-up. Redte håret og listede ud i køkkenet, hvor hun bagest i køleskabet fandt en rest snaps, som hun drak af flasken.

Gik ind i soveværelset igen, tog et stykke papir og skrev roligt med sin store, runde skrift:

Mit sidste ønske er, at min datter Marianne skal blive hos og helst adopteres af min søster Annike Knudsen. Tak for jeres hjælp. Tilgiv mig, mor, jeg orker ikke mere. Le.

Så på rækken af pilleglas på bordet ved sengen og tænkte på Charlotte Strandgårds digt om kvinder og piller.

– Litterær til det sidste, mumlede hun for sig selv.

Lagde sine yndlingssmykker, kæden med kvindetegnet i tin, og ringen, gaven fra Jacob, ved siden af brevet.

Det var en ejendommelig ring. Den var nærmest uhyggelig godt valgt. Næsten det eneste originale hun havde oplevet ham gøre.

11

Ringen var stor og grov. Bestod nærmest kun af kanter, trekantede og femkantede sider, ujævne, glatte, rå og bearbejdede.

Hun så på sit ur, havde orienteret sig om, hvornår det første morgentog kom.

Gik ud og tog sin trøje på.

Inden hun stille lukkede sig ud af huset, tog hun en kuvert med en bog i, som hun længe havde ønsket at give Sten Runge men ikke turdet. Eske Holm: Den maskuline mystik.

Hun lagde ikke noget kort ved, det var underordnet, hvem han fik den fra. Man kunne kun håbe, han gad læse den.

Hun skrev ikke nogen afsender, for når han modtog bogen, ville der ikke længere være nogen afsender.

Hun lagde kuverten i en postkasse. Gik med rolige skridt ned til stationen og gik roligt ud ad banelegemet mellem skinnerne.

Gik ganske roligt. Ind i det frembrusende tog.

Le, du ved ikke, at togføreren blev indlagt. Statistisk set skete der kun en forskydning fra kvinde- til mandssiden.

Psykiatrisk set blev der ikke en patient mindre.

Men du figurerer nu i selvmordsstatistikken.

Le

Le var et menneske, der tog andre mennesker meget alvorligt. Deres meninger. Det de sagde. Deres holdninger.

Hun spekulerede meget over det, folk sagde til hende.

Det at tage noget seriøst, gjaldt naturligvis først og fremmest mennesker, hun kunne lide. Mennesker hun var engageret i, eller dem hun gennem sit arbejde blev involveret i. De mennesker, hun tog mest alvorligt, var mænd hun følte sig tiltrukket af. Og hendes engagement i de mænd var ofte en voldsom belastning for hende.

Hun syntes selv, hun brugte alt for megen tid på at analysere, hvad de havde sagt. Hvorfor de handlede, som de gjorde. Hun brugte megen tid på at overveje, hvad de *kunne* sige og gøre, og hvorledes hun i de tilfælde skulle svare, handle, opføre sig.

Situationer, som måske aldrig opstod, havde hun gennemtænkt på forhånd.

Ofte indtraf netop de situationer, hun havde forestillet sig. Det skyldtes ikke så meget, at hun havde nogen særlig intuition; og den så berømmelige „kvindelige intuition" havde hun kun foragt tilovers for. Anså den for et latterligt postulat.

At situationer, hun havde forestillet sig på forhånd, ofte opstod, skyldtes snarere, at hun i sine forestillinger havde gennemtænkt så mange variationer over den samme oplevelse. Derfor var der en vis sandsynlighed for, at også det, der netop skete, havde været en af variationerne af, hvad hun havde overvejet.

I et kærlighedsforhold, et kærlighedsforløb. Et møde, en

13

samtale.

Hun følte det sjældent som en lettelse eller hjælp, at hun havde taget forbehold for en opstået situation, selvom hun på den måde vidste, hvordan hun skulle eller ville handle eller svare.

Hun ville egentlig meget hellere være spontan, reagere mere ureflekteret.

Hun var også bange for altid at virke som en, der var alt for sikker, altid havde svar på rede hånd, altid havde situationen under kontrol. Hun vidste, at langt de fleste mennesker – og i hvert fald næsten alle mænd – som hun kom i forbindelse med, vurderede hende på den måde. Og at hun ofte afskrækkede ved at virke så sikker.

Hun brød sig ikke om at blive opfattet, som hun blev.

Hun havde på den anden side opdaget, at hvis hun opførte sig anderledes end hun var, blev hun gennemskuet. Eller værre: på et eller andet tidspunkt faldt hun ud af rollen.

Det, der var hendes personlighedsmæssige problem, var, at også den sikkerhed, hvormed hun optrådte, og som hun blev vurderet efter, var en rolle. Hun var – og vidste det selv – meget spaltet mellem sikkerhed og usikkerhed. Hun følte sig på samme tid hudløs, bange, og ofte overbevist om sin ret, om sine meningers rigtighed.

Hendes store problem, som hun søgte at skjule bedst muligt, var, at lige så snart hun havde taget stilling til et eller andet, eller taget en beslutning, kom hun i tvivl.

Hun afslørede sjældent sine tvivl, men brugte megen psykisk energi og megen tid på at gennemgå en situation eller en beslutning på ny, for at finde ud af, om hun havde handlet rigtigt.

For at vurdere, om hun kunne have handlet anderledes, bedre.

Le blev 30 år. Hun opfattede selv sin tilværelse indtil for 2-3 år siden som temmelig ukompliceret.

De depressioner og angstanfald, hun ind imellem fik de sidste år, var kommet så overvældende pludselige, at det i sig selv havde chokeret hende.

Når hun tænkte tilbage, var der kun et forhold, der kunne have givet en forudanelse, et varsel.

24 år gammel havde hun fået en datter. Graviditet og fød-

14

sel havde været totalt ukompliceret, hun havde ikke haft gener under graviditeten, end ikke de mest banale.

Men hun havde en ejendommelig oplevelse, hver gang hun ammede sit barn:

I det øjeblik hun lagde barnet til brystet, havde hun en fornemmelse, en oplevelse, der ikke kunne beskrives med ord. Hun følte i både bogstavelig forstand og overført betydning det rigtige i sætningen: „hendes verden styrtede sammen".

Hele denne oplevelse varede nogle sekunder, måske højst et minut, men oplevelsen var lige grufuld hver gang.

Så forsvandt den, hun nød at amme barnet, gjorde det forholdsvis længe, havde mælk en lang periode efter at hun var begyndt at studere igen, og hun tilpassede i høj grad sin tid til barnet, så det kunne få mælk hos hende, ligge hos hende om natten og die længst muligt.

Da mælken forsvandt, og barnet ikke længere sugede på hendes bryster, glemte hun egentlig helt disse oplevelser, som hun tilskrev kirtelfunktion og hormonale ændringer.

Hun havde forsøgt at snakke lidt med sin mand Jacob om det, men netop fordi det ikke lod sig forklare med ord, og fordi selve oplevelsen var så kortvarig hver gang, tog ingen af dem det alvorligt.

Jacob og hun blev skilt et år senere, og det var af helt andre grunde. De sås stadig, fordi Jacob bevarede forbindelsen med deres fælles barn, datteren Marianne, der nu var 6 år og gik i børnehave.

Le var egentlig et misundelsesværdigt menneske.

Det syntes hun i hvert fald selv. Hun følte sig temmelig privilegeret af tilværelsen, og skammede sig ofte over at netop hun, i forhold til hvad andre mennesker havde af problemer, reagerede så voldsomt psykisk.

Derfor skjulte hun også sine depressioner og angstanfald for alle andre end netop de mennesker, der stod hende meget nær.

Hun skjulte dem især overfor de mænd, hun forelskede sig i, fordi hun havde gjort den erfaring, at det var noget, mænd stod fuldstændig uforstående overfor. Eller de trak sig tilbage, angste for at blive involveret i en eller anden form for problematik.

Le blev student 19 år gammel. Da hun altid havde interesseret sig for litteratur, havde hun ingen overvejelser i forhold til valg af studium. Hun læste til cand. mag. i dansk og var færdig 25 år gammel.

Som bifag havde hun valgt kristendomskundskab.

Valget var nærliggende, fordi hun var interesseret i teologiske problemer. Det skyldtes nok først og fremmest, at hendes far, der nu var død, havde været præst, og der af den grund var blevet diskuteret megen teologi i hendes hjem under hele hendes opvækst.

Når hun blev spurgt, om hun troede på Gud, svarede hun ja. Fordi det var sandt, men mere kompliceret, end hun fik det til at lyde.

Kompliceret af flere grunde, men måske mest, fordi hun egentlig med sig selv vidste, at det først og fremmest var sociologisk betinget. Hvis hun var vokset op i et hjem med en helt anden holdning, var hun ikke så sikker på, at hun ville have haft det, man kalder et kristent livssyn.

Da Le var 23 år gammel, forelskede hun sig i en lidt ældre medstuderende, Jacob, og da hun kort efter blev gravid, giftede de sig.

Både hendes og hans forældre accepterede såvel graviditet som ægteskab og lånte dem til udbetaling på et hus, som hun nu boede i sammen med datteren Marianne.

Huset lå i en af Københavns omegnskommuner. Da hun havde taget embedseksamen, var det ikke vanskeligt for hende at blive ansat på et seminarium, der lå i nærheden. Hun befandt sig godt, havde efterhånden været ansat der i 5 år, var overvejende vellidt af både studerende og kolleger og havde et godt forhold til rektoren.

Hun underviste kun i dansk, holdt meget af at undervise, kunne lide den forpligtelse der lå i at skulle følge med i, hvad der skete indenfor faget, hvilke nye bøger der kom. Hun holdt også meget af den kontakt, hun fik med de studerende i de studievejledningstimer hun havde.

Der var det mærkelige ved Les depressioner og angstanfald, at de aldrig opstod eller påvirkede hende, når hun var på seminariet.

Selv i perioder, hvor hun faktisk var deprimeret hele tiden, kunne hun gennemføre undervisningen, uden at nogen kunne mærke noget.

16

Hun kunne være vittig, inspirerende, engageret, for derefter, når hun kom hjem, kun at have trang til enten at gå i seng eller bedøve sig med piller eller spiritus. Hun drak overvejende vin. I perioder, hvor hun syntes, det tog overhånd, tog hun antabus, havde en noget urealistisk tro på, at hun selv kunne administrere sit drikkeri.

Hun ville ikke tage antabus hele tiden, for også på det punkt var hun meget ambivalent. Hun følte, at hvis hun konstant tog antabus, var det en degradering af den viljestyrke til at administrere drikkeriet, hun mente sig i besiddelse af.

Hun var også nødt til at veksle mellem vin og piller, da det kunne være vanskeligt at få de piller, hun havde brug for. Hun ønskede ikke at forklare lægen, hvor alvorlige hendes psykiske problemer til tider var. Også fordi hun ikke selv anså dem for så alvorlige.

Hun havde engang i forbindelse med et selvmordsforsøg været hos en psykiater, der havde sat hende på en langtidsmedikamentel behandling, og det havde virket nogen tid. Men en sådan behandling ønskede hun ikke at gentage.

Så syg følte hun sig ikke.

Så syg var hun ikke.

I perioder klarede hun sig udmærket uden spiritus, piller og antabus.

Stemningsmæssigt kunne man karakterisere hende som melankoliker med en strålende evne til at skjule det.

Hun drak aldrig på seminariet. Følte stedet som en beskyttende skal. Havde under depressionsperioderne en mærkelig fornemmelse, når hun om morgenen kørte dertil. „Nu kan de/det ikke nå mig". Vidste ikke, hvad de/det var.

Hun var egentlig godt tilfreds med at leve alene i sit hus med Marianne.

Men hun kunne ikke undvære mænd.

Og hver gang, et forhold gik i stykker, blev hun deprimeret, mere eller mindre stærkt, afhængig af forholdets intensitet og karakter.

Når nogen spurgte, hvorfor hun havde været gift så kort, eller hvorfor hun var blevet skilt, svarede hun som regel med en skuldertrækning noget i retning af, at de nok havde været for unge, at de ikke havde kunnet finde ud af det, da barnet blev født, at de ikke kunne sammen.

Og det var vel også sandt, selvom de primære problemer,

som hun og Jacob aldrig havde diskuteret, var, at hun var bedre begavet, fik højere karakterer, blev færdig langt tidligere end han, på trods af, at hele ansvaret for barnet havde været hendes.

Jacob var alt for umoden dengang til at være andet end tilskuer. Efter skilsmissen havde han giftet sig igen ret hurtigt med en pige, Kirsten, der var en del yngre end han selv. Hun var holdt op med sit kontorjob på Jacobs opfordring, og fordi det kedede hende. De havde to børn.

Le havde et neutralt forhold til Kirsten. De havde intet at sige hinanden, men var venlige og høflige mod hinanden.

At beskrive Les udseende var vanskeligt, fordi det i så høj grad var afhængig af hendes sindstilstand.

Hun var ikke særlig høj, havde langt, lyst hår, var altid bange for at blive for tyk, og forsøgte sig derfor med den ene kur efter den anden. Hun havde regelmæssige tænder, der kunne have været smukke, hvis ikke de var misfarvede af for megen cigaretrygning. Hun havde store, blå øjne.

I perioder var hun forfængelig. Og når hun var forelsket, gjorde hun meget ud af sit udseende. I de perioder behøvede hun det mindst.

Var hun glad, havde hun en indre udstråling. Hun kunne lyse, hendes øjne dominerede med en egen indre glød. Hendes gang blev let. Der var rejsning over hende og tiltrækningskraft. Hun kunne virke meget erotisk, ikke så meget kropsligt som netop gennem ansigtsudtrykket, smilet, stemmen, latteren. Men især det strålende blik.

Hun var ofte bange for sine øjne, fordi de var så afslørende.

Hun vidste, at hun irriterede og forvirrede mange mennesker med sin måde at se på, fordi det kunne være alt for intenst, alt for direkte.

Der var andre perioder, hvor man næppe lagde mærke til hende.

Selvom de færreste vidste det, var hun ambitiøs. Det gjaldt først og fremmest det daglige arbejde, hvor hun var meget sårbar overfor den mindste form for kritik. Også uberettiget kritik ramte hende, selvom hun skjulte det.

Hun havde både litterære og faglige ambitioner. Men litterært tvivlede hun på, om hun havde evner, og var bange for

18

at afprøve dem.

Hun havde skrevet nogle kronikker og artikler og holdt nogle foredrag. Om faglige emner og kvindesag.

Det sidste emne var nok det, der optog hende mest. Dels fordi hun ikke kunne finde sin placering i forhold til de eksisterende kvindegrupper og -retninger, dels fordi hun mere og mere følte, at mandsproblematikken – i hvert fald i forhold til kvinder med hendes indstilling, uddannelse og intellektuelle niveau – efterhånden var væsentligere.

Hun havde aldrig villet være med i nogen basisgruppe eller anden form for kvindegruppe, havde altid sagt nej, når hun blev opfordret.

Hun var dels bange for at komme til at dominere for meget, dels bange for at være for „afvigende", måske ikke „troende" nok i deres forstand, men var nok først og fremmest bange for at blive låst fast i en bestemt rolle.

Slagord som 'kvindekamp er klassekamp' havde hun ingen tiltro til, hvad ville socialisterne bruge kvinderne til? Hun havde adskillige gange oplevet den samme kønsdiskriminering der som andre steder.

Men også i forhold til disse problemstillinger var hun ambivalent. Også fordi hun gang på gang oplevede, at det hun ville i forhold til *manden,* det hun ønskede af ham, klarede hun ikke alene. Men hun var overbevist om, at en „gruppe" ville klare det endnu dårligere.

Hvad kunne det hjælpe hende, at en gruppe kvinder fastslog, at mænd var kyniske, kolde, uden ømhed, med alt for fastlåste følelser, når det drejede sig om den mand, hun var forelsket i?

Hun kunne kun håbe, at hun med sin egen varme, sine følelser, sin egen ømhed kunne åbne lidt for hans lukkethed. Selvom hun ofte forstandsmæssigt kunne indse, at hun havde indladt sig på et forhold, der i den henseende syntes håbløst.

Gang på gang oplevede hun i forholdet til en mand, at hun udleverede sig, mens han registrerede.

Hun vidste, at hendes personlighed i forhold til mænd var en nærmest 'skizofren' spaltning mellem høj intellektuel realitetssans og en følelsesmæssig, nærmest naiv-håbefuld tro på noget, der næsten ikke lod sig realisere.

Hun led af en temmelig overdreven sensibilitet, som hun prøvede at betvinge og skjule.

Hun forsøgte tit i forhold til en mand at realisere det, hun vidste var umuligt: få ham til at vise ømhed, følelse, åbenhed.

Når hun i forholdet til en mand måtte indse, at hun havde 'tabt', – det skete oftest ved, at han afbrød forholdet – nok fordi han indirekte kunne mærke, at hun ville mere end en ret overfladisk kontakt, blev hun ulykkelig.

Og følte sig i de situationer noget forurettet af tilværelsen. Måske med god grund.

Hun havde erkendt med sig selv, uanset sit intellektuelle og velformulerede engagement i kvindesag, at hun levede på de mænds betingelser, som hun forelskede sig i. Når hun en enkelt gang opstillede sine egne betingelser, gik det galt: Intet skete, eller det hun ikke ønskede skete.

Hun kunne udmærket karakteriseres som et meget begavet, reflekteret, evnerigt menneske, storsindet og frigjort. Et menneske, der på en vis måde var suveræn og gjorde, hvad hun ville og mente var rigtigt. Et menneske, der turde gå imod normen, det vedtagne. Kunne i mange situationer være original.

Men alt dette var nærmest sat ud af drift, når hun forelskede sig.

Af to grunde: dels fordi hun havde erfaring for, at det skræmte mænd langt væk. Og den risiko turde hun ikke tage. Dels fordi hun oftest forelskede sig i mænd, hun mente var bedre begavet end hun selv. Og det gjorde hende usikker på sine egne meninger, sin egen holdning.

Også fordi hun mærkeligt nok følte sig tiltrukket af selvsikre, ofte overlegne, arrogante mænd. Med stærke meninger, de ofte ikke lod sig rokke i, selv efter velargumenteret diskussion.

Tit var det mænd, der virkede kolde. Måske følte hun det som en udfordring at få netop den type til at vise følelser.

Men det væsentligste krav fra hendes side – Lene og hun havde tit snakket om det ejendommelige heri, fordi Lene havde det på samme måde – var, at manden skulle være begavet.

Bortset fra nogle enkelte undtagelser – Morten eksempelvis – havde Le svært ved at adskille psykisk og fysisk kontakt. Hun mente heller ikke, det skulle adskilles. Hun gik i seng med de mænd, hun kunne lide, dem hun følte sig tiltrukket af.

Le havde været forelsket en hel del gange.

Hun havde engang halvt leende halvt klagende spurgt Lene,

om hun troede, at hun var nymfoman eller promiskuøs, eller måske begge dele.

Men Lene havde roligt svaret, at hun var et levende menneske: *ikke* at forelske sig, *ikke* at elske, *ikke* at engagere sig, *ikke* at hengive sig, var døden.

Le var meget selvanalytisk, så klart sine 'svagheder'. Og sit behov for hele tiden at skulle bekræftes.

Hun lagde personligt megen vægt på ydre ting: tøj, udseende, kosmetik. Også på det punkt afveg hun fra en del kvindegrupper i mao-tøj eller battle-dress.

Hun undskyldte det med, at hvis man syntes, det var sjovt, var det en misforståelse ikke at lægge vægt på sit udseende. Man skulle klæde sig, som man havde lyst til: – Undertiden har jeg lyst til cowboy-tøj undertiden til high-society-tøj.

Men hun vidste også, at det mange gange for hendes vedkommende var en usandhed: hun klædte sig smart og brugte make-up, fordi der var så megen indre usikkerhed, som skulle styres, hendes ydre fremtoning måtte i hvert fald ikke volde problemer.

Det var egentlig vanskeligt at give en karakteristik af Le, fordi hun var så selvmodsigende, og der var så megen dobbelthed i hendes natur.

Hun havde mange evner, men blev ofte blokeret af sine tvivl på sig selv.

Hun var et meget særpræget menneske, og det virkede ofte, som om hendes egenartethed afskar hende fra at udfolde sig på en del områder.

Le havde ikke noget let sind, hun var alt andet end overfladisk, havde et noget stejlt og iltert temperament, som hun – næsten altid med held – forsøgte at beherske.

Hun kunne være særdeles effektiv, men på en ujævn måde.

Hun var på een gang åben og prisgivende sig selv – og bange for at blive misbrugt og misforstået netop af den grund.

Hun følte trang til at skjule den psykiske vibreren, som hun meget følelig, nærmest smerteligt, var klar over. Men det kunne være svært.

Hun ejede ikke evnen til for alvor at se sig selv udefra.

Man kunne sige, at det og navnet var hendes skæbne.

Hun følte det som livets ironi, at netop hun var blevet forsynet med en så optimistisk ordre, som det ofte var vanskeligt at opfylde.

– Nu har jeg hørt humoristiske bemærkninger og opfordringer hele livet, havde hun engang sagt. – Det vil slutte med, at præsten til min begravelse i tro på sin egen originalitet vil tale om DØDENS LE.

Venner – kvinder

Men de venner bli'r færre og færre,
hvis hænder man længes at trykke.
Sophus Claussen

– At digte er at holde dommedag over sig selv, sagde Morten
på rungende dårligt norsk, da de fulgtes hen ad gangen.
– Jamen tror du da ikke, det er rigtigt? spurgte Le, men
måtte samtidig grine, fordi citatet havde lydt komisk og hult.
Morten havde en vidunderlig evne til at punktere det, han
kaldte det „storladne".

– Gå hjem og afprøv det, din gamle individualist, men gør
det nu ikke for grundigt, svarede Morten, – du ved, jeg tror
mere på en kritisk analyse af vort samfund.
Det var tildels rigtigt, selv om han fik også det til at lyde
komisk.

Noget af det, hun satte mest pris på hos Morten, var hans
udtalte usikkerhed i forhold til teorier og hans evne til at
komme bagom dem og ofte påvise deres uholdbarhed.
Hun holdt af, at han var usikker i forhold til sig selv og
sine meninger. Og hun kunne lide hans facon med at spørge
og analysere og ikke slå sig til tåls med postulater, som han
havde en egen evne til at få givet et komisk skær.
Han havde udpræget sans for det komiske eller humoristi-
ske i en situation, og kunne tit få hende til at le, selv når det
var noget personligt, og hun egentlig var ked af det. Og det
hjalp som regel at beklage sig til ham.
Morten var hendes kollega og sammen med Lene de to ene-
ste mennesker, hun var virkeligt knyttet til.
Morten var gift, havde et barn, og Le var glad for, at hans
kone aldrig var jaloux, selvom der var denne fortrolighed mel-

23

lem hende og Morten.

Der var nu heller ikke nogen grund til jalousi, dels fordi Le aldrig havde været forelsket i ham, dertil lignede de nok hinanden for meget, dels fordi Morten aldrig ville tillade sig selv at være forelsket i andre end sin kone.

– Det ville jeg ikke kunne administrere, havde han engang sagt, da de havde talt om Andreas' og Lenes livsform.

Morten forstod kun delvis Le's måde at leve på. Men han accepterede den, fordi han kunne lide hende, og fordi han langt fra var sikker på sin egen kernefamilie-form, som den rigtige. Den var bare rigtig for ham. Det var hans nødvendige udgangspunkt.

Le's situation var en anden. Og han lyttede og gav gode råd, når det var nødvendigt.

Selv om Morten og hun var enige på mange punkter, især faglige, var de også meget forskellige. De supplerede hinanden godt og havde også planer om at skrive noget fagligt sammen.

Morten havde til forskel fra Lè ingen litterære ambitioner. Men han var nok den, der støttede hende mest, og opfordrede hende mest til at prøve.

Når de talte om deres planer, sagde Morten altid, at han syntes, Le skulle skrive noget skønlitterært først.

– Le, få da skrevet den roman om den enlige kvinde. Det bliver hverken socialrealisme eller arbejderlitteratur. Men den er aktuel nok endda. Du er alt for optaget af netop de problemstillinger.

Skriv den, få det overstået, ellers bliver du alt for fikseret i den. Så laver vi noget fagligt sammen bagefter.

Le havde nogle teorier om, at tanker, fornemmelser skulle omsættes i noget aktivt. Helst skrive eller tale for at afprøve sine teorier.

Hun var tit bange for, at det hun følte, det hun tænkte og oplevede, var specielt for hende. Derfor prøvede hun undertiden at formulere det, netop for at finde ud af, om hun havde ramt noget generelt. Sidst med sin kronik om den enlige mor.

Den var tilsyneladende meget personlig, egentlig opstået af forskellige situationer, hun havde været i.

Der skulle som regel en provokation til, før hun fik samlet sig til at skrive noget sammenhængende. Det meste, hun havde skrevet, var notater.

24

Hun skrev også dagbog i perioder. Men det var vanskeligt for hende og blev aldrig kontinuerligt. Hun glemte tit at skrive, når hun var mest forelsket og lykkelig. Og turde eller kunne ikke, når hun havde oplevet nederlaget, forkastelsen. Hun holdt mest af noter, havde mapper fulde og forsøgte undertiden at systematisere dem. Det lykkedes dårligt, så når hun ville skrive et eller andet, en kronik eller et foredrag, brugte hun megen tid på at finde noter og stykke dem sammen. Derefter skrev hun det hun ville, men forarbejdet var så stort, at hun ikke rigtigt troede på, at hun nogen sinde ville komme til at skrive andet end artikler og lignende.

Af en eller anden grund vidste hun med sig selv, at hun havde evner for at skrive, men hun var bange for ikke at kunne fiktionen. Og at beskrive sine omgivelser kunne nemt blive en form for udlevering, der ville nærme sig forræderi eller personnasseri. Hun havde også en forestilling om, at den 'rigtige' forfatter bare satte sig ned og skrev, når han havde fundet emnet og gennemtænkt indholdet. Han sad sikkert ikke som hun med en masse lapper, mere eller mindre brugbare. På den anden side mente hun også, at al god litteratur på en eller anden måde, i en eller anden form måtte være gennemlevet. Hun troede kun på det personlige. Mente at forfatteren måtte generalisere det private. Eller ved at beskrive noget tilsyneladende meget specielt ramme noget alment.

Hendes usikkerhed med hensyn til sine litterære evner og teorier gjorde, at da hun følte sig provokeret til at skrive om dette at være enlig kvinde med barn, forsøgte hun ikke at skrive den roman, hun drømte om. Det blev til en kronik, som jo i høj grad var et spørgsmål om at prioritere stofmængde og begreber og postulater frem for personer. Det sidste var nu ikke helt rigtigt, fordi man kunne indbygge personer i begreberne, i generaliseringen. Det vanskeligste ved kronikformen var for hende, at hun følte, at megen nuancering måtte udelades eller gik tabt. Hun var selv et både-og-menneske, og i kronikken måtte hun ofte vælge en af siderne. Alligevel, da en bekendt en dag ringede til hende og tilbød

25

at passe hendes datter et par dage, – fordi du virkede så træt og udkørt, sidst vi var sammen. Du har også alt for meget at se til, du må da trænge til lidt fred, besluttede hun at skrive om det. Det var tilsyneladende så venligt. Men hvad var det egentlig?

Dette at blive 'staklet' var et ejendommeligt kvindefænomen. Med adskillige aspekter.

Det drejede sig både om, hvorfor nogle kvinder – og hun syntes, hun havde mødt det lovlig tit – indtog denne holdning, hvilke motiver der lå bag.

Det drejede sig om holdningen til den enlige kvinde, især den enlige mor.

Det provokerende, og det der gjorde hele situationen så speciel – og måske generel – var, at netop den dag hendes bekendt hentydede til, havde hun været afslappet og set godt ud. Hun havde haft smart tøj på, der klædte hende. Hun var specielt lykkelig og glad netop den dag.

Hun skrev kronikken. Kunne ikke finde på nogen overskrift. Sendte den ind.

– Hvis den bliver antaget, tænkte hun, finder kronikredaktøren nok på en eller anden original overskrift.

Kronikken blev antaget:

Jeg er ikke noget socialt problem. Jeg har aldrig været nogen social begivenhed.

Min eneste kontakt med socialforvaltningen har været, at jeg har underskrevet på tro og love, at jeg ikke har nogen samlever, (hvilket forfærdeligt ord).

Jeg har (kun) – periodevis – elskere, og hvis perioden skulle blive af længere varighed, ville jeg af angst for anklage for socialt bedrageri styrte op og meddele, at nu var der en ekstra tandbørste, nu delte vi seng om ikke dyne, nu gav han kosttilskud, og derfor måtte jeg resignere på forhøjet og ekstra børnetilskud.

Indtil da tager jeg imod det, loven siger jeg har ret til. Også fordi jeg ikke vil have børnebidrag fra mit barns far.

Det har flere årsager: Han tjener ikke stort mere end jeg, han har det økonomiske ansvar for kone og to børn, og jeg føler mig friere stillet også opdragelsesmæssigt i forhold til barnet, hvis kun jeg betaler for det, forsørger det.

Lad det være sagt straks: jeg tilhører en gruppe privilege-

rede enlige kvinder. Jeg har en god uddannelse, en god ind-
tægt, en god bolig osv. Mit barn passes forsvarligt både i og
udenfor arbejdstid. Dels på en udmærket daginstitution, dels
af mig, dels af ansvarsfulde familiemedlemmer eller venner,
når jeg er forhindret.
   Det hele skulle altså være udmærket. Men det er det ikke.
For i og med at være enlig kvinde med barn er jeg placeret i
en bestemt bås. Hvor jeg ikke befinder mig særlig godt.
   Jeg er dels ynkværdig. Men jeg er også et faremoment.
Jeg tror egentlig, vi er mange i den situation, og det er
grunden til, at jeg vil prøve at analysere den.
   Havde jeg været gift, ville min situation på mange måder
være den samme. Jeg føler mig nemlig ikke tvunget ud i den
rolle, der hedder 'udearbejde og barn på institution'. Det ville
jeg også have, hvis jeg levede i ægteskab eller papirløst, men
så var der en mand i huset. Og det er tilsyneladende en altaf-
gørende forskel.

   Parantetisk bemærket – men det er en helt anden kronik og
yderligere et socialt problem, der virkelig trænger til en mere
effektiv løsning end de foreliggende muligheder: der findes
store grupper af enlige kvinder, hvis situation socialt set er
langt under et blot nogenlunde akceptabelt niveau.
   Det er kvinder med ringe eller uden uddannelse, henvist til
de dårligst betalte og ofte såvel fysisk som psysisk opslidende
jobs. Kvinder der ofte har langt til arbejdsplads og til de in-
stitutioner, hvor deres børn skal passes, hvis der i det hele
taget er institutionsplads til dem, og hvis de i det hele taget
har råd til at betale for disse pladser. Kvinder, der foruden
alle andre problemer sidder med bekymringer for, hvad der
kan ske deres nøglebørn, mens de selv udfører et arbejde, som
gør dem trætte og irritable, inden de har fået købt ind og er
nået hjem.
   Til børn, der kræver opmærksomhed, samtidig med at der
skal laves mad, gøres rent, vaskes tøj og læses lektier.
   Statistisk ved vi, at børn af disse mødre er mere truede end
andre børn. Det gælder psykisk, det gælder adfærdsmæssigt.
Det opdages som regel i skolen. Ofte allerede i de første klas-
ser.
   Forholdsmæssigt er flere børn af enlige inddraget under
skolevæsenets særforanstaltninger. Det kan skyldes de ovenfor

27

anførte problemer, hvor mødre ganske enkelt ikke har tid og overskud til at være noget for deres børn.

Men det kan også skyldes, at negative forventninger ofte er selvopfyldende.

I forhold til de ovenfornævnte problemer er det, jeg ønsker at diskutere: MÅSKE 'overskudsproblemer'. Men socialt dårligere stillede kvinder er nok på samme måde – måske mere – udsat for den behandling fra vore såkaldte „medsøstre", som jeg dels vil referere, dels finder årsager til i det følgende.

Problemerne kan i al korthed – med de nuancer, der måtte komme undervejs – stilles op i følgende 2 sætninger:

1. Hav ondt af hende, hun er enlig kvinde med barn.

2. Pas på hende, hun er enlig kvinde (med barn).

Man bliver ringet op af en gift veninde med god tid: „Kom til the. Så kan vi rigtig snakke sammen". Om hvad? Mine eventuelle problemer, alle mine genvordigheder? For selvfølgelig må jeg (stakkels) enlig da svømme i dem.

Tænk, hvis man svarede: „Du, jeg vil hellere komme til middag. For jeg synes, din mand er (mindst) lige så spændende at snakke med". Ja, det er egentlig et rimeligt svar, men en uforskammethed. Og så ville det venskab eller bekendtskab – eller hvad det nu er – ryge.

Og man kommer til the, her og der, indtil man får garvesyreforgiftning og siger nejtak, jeg har ikke tid, fordi man er træt af at forsikre om, at man ingen problemer har, for selvfølgelig har man det, men ikke i forhold til 'problemnassere'.

Eller: „Kom ud og bo hos os et par dage. Så kan vi rigtigt snakke. Og hygge om dig. Du må da trænge til det. Du virker så udkørt. Og du må gerne tage din datter med". (Ja, hvor skulle jeg ellers gøre af hende).

Lutter venlighed. Lutter deltagelse. Med hvad?

Heldigvis møder man det sjældent hos gifte kolleger. *Det kan selvfølgelig skyldes, at man har fået vænnet dem af med den form for „omsorg".*

Sætninger som „gud, hvor ser du trist og grå ud! Du må da have det forfærdeligt" eller „hvordan er det du ser ud! Tror du ikke, du er syg?" osv., osv. er heller ikke ukendte.

De værste situationer er de, hvor der er flere til stede. Værtinden ynker én tværs over middagsbordet, enten direkte eller ved at lægge hovedet omsorgsfuldt på skrå og højt hviske: „Nå, lille du". – Og samtalen forstummer, alle stirrer på én,

28

og selvom man har følt sig udmærket tilpas, mærker man pludselig, at éns smil stivner mere og mere.

Der er „rørende" kvinder, der af lutter „medfølelse" end ikke tillader, at man ser alvorlig ud i en alvorlig samtale. Jeg skal være så frisk, at det er til at blive syg af. Og der er tale om en så påtrængende omsorg, at det nærmer sig forsorg.

Alt dette kunne lyde som en grov foragt og utaknemmelighed overfor en gruppe kvinder, der mener det godt, der engagerer sig i deres medmennesker, der gerne vil hjælpe andre, som har det dårligere end de selv.

De hjælpsomme og engagerede kvinder findes heldigvis, både gifte og ugifte. Og man lærer hurtigt at skelne.

Jeg holder meget af at tale med andre kvinder. Om egne problemer. Om deres problemer. Jeg holder også meget af at tale med mænd om de samme ting.

Jeg vil bare gerne fritages eller slippe for at blive staklet, blot fordi jeg er enlig.

Og det påfaldende ved de ovenfor beskrevne tilfælde er, at jeg i langt de fleste situationer slet ikke er i den tilstand, jeg ynkes for: ikke træt, ikke trist, ikke udkørt, ikke syg eller overanstrengt.

Den pågældende „medføler" gør sig end ikke den ulejlighed at se efter. Man er det ganske enkelt pr. definition.

Det er så 'rørende' altsammen – og så jammerligt.

Den virkeligt omsorgsfulde veninde understreger nemlig ikke ens udseende, hvis man måske ikke er på toppen. Hun opmuntrer, lytter og råder, hvis hun kan. Hun lægger ikke én syg, fordi man måske ikke lige netop ligner en reklame for optimisme just den dag.

De andre, som ofte bringer en i tåbelige situationer, hvor man til sidst er ved at overspille sin rolle „at have det pragtfuldt", er man derimod tilbøjelig til at tillægge nogle dårlige motiver: misundelse og/eller angst, ubevidst eller bevidst, eventuelt hoveren eller direkte ondskabsfuldhed.

Det fører over i den anden problemstilling: pas på hende, hun er enlig kvinde.

Med hensyn til kvindesag er vi nået et stykke vej. Men vi er ikke nået nær så langt, som nogen måske tror. Og ikke nær så langt i holdning som i teori, i ord, og i det vi går og fortæller hinanden.

De gamle normer og indstillinger lever videre i bedste velgående.

En af holdningerne fra en stor gruppe gifte kvinder er, at er man ugift, har man kun een tanke, eet ønske: at finde en mand, at blive gift. Det kaldes sjovt nok 'at få sit på det tørre'. Jeg har altså mit på det våde. Jeg har lidt svært ved at se den store forskel. For risikoen for, at den gifte kvinde bliver skilt er noget nær lige så stor som chancen for, at jeg bliver gift. I hvert fald for den aldersgruppe jeg befinder mig i.

En anden indstilling, som jeg ville synes var komisk, hvis ikke netop den gik ud over mig og mine ligestillede er, at hvis jeg i en periode går ud med mænd, måske endog med forskellige mænd, er jeg vist „løs på tråden". Bliver jeg hjemme, fordi jeg har lyst eller behov for det, eller måske ikke har nogen mand at gå ud med, er jeg stærkt på vej til at „mure mig inde og ender nok som pebermø".

Ja, det er svært at begå sig.

I selskab skal jeg være meget varsom med at virke for interesseret i en mand, hvis han er gift. Det er underordnet, hvis han og jeg synes, det er rart at danse sammen eller at føre en god, inspirerende samtale. Inden jeg ser mig om, står hustruen i overtøj og skal hjem. Og det skal han også.

Det kan da godt være, jeg finder en mand, jeg har lyst til at bo sammen med, og som har lyst til at bo sammen med mig.

Men gifte kvinder behøver ikke at være angst af den grund. Dels er der en hel del ugifte eller fraskilte mænd. Dels tror jeg ikke, man kan tage nogen fra nogen.

En mand går i hvert fald ikke fra sin kone på grund af mig. Går han, er det fordi han ikke kan udholde sin kone, sit ægteskab mere.

Jeg føler undertiden, at man misunder mig min frihed. Jeg nyder den som regel også. Men jeg ville da gerne have en mand at dele denne frihed med, for jeg tror, at det kan realiseres.

Jeg kan lide at være alene, jeg kan lide at være sammen med andre mennesker, jeg kan lide at bestemme hvornår det ene hvornår det andet.

Og jeg tror på, at en sådan tilværelse også kan leves, hvis jeg mødte en mand, der på disse punkter havde samme indstilling som jeg.

Men jeg har ikke mødt ham – endnu.

30

Derfor er jeg hos visse grupper af kvinder en paria. „Vagt i gevær!" Farlig dame, ude på at forføre gifte mænd. For jeg må jo naturligvis altid være sulten og på jagt efter en forsørger. Jeg er ikke på jagt efter en forsørger, for jeg kan forsørge mig selv.

Og her har vi igen nogle indstillinger, det er urimeligt, vi som gruppe skal kæmpe imod.

Jeg nævnte før, at selv om jeg var gift, ville jeg udnytte min uddannelse. Men så ville indstillingen til, at jeg har arbejde, være en helt anden. Så ville jeg gøre det af engagement, af interesse og lignende. Nu kommer min glæde for mit arbejde, mit engagement og min interesse til at lyde som en dårlig undskyldning, som noget jeg er nødt til at sige, fordi arbejdet samtidig er en nødvendighed. Jeg har bare svært ved at fatte, at andre ikke kan forstå, at de to forhold udmærket kan forenes.

Et andet forhold: Når jeg som enlig har mit barn på institution, skal det absolut være af nødvendighed, af pasningsmæssige grunde. Det tæller ikke, kan ikke være rigtigt, når jeg hævder, at det også er af pædagogiske grunde, for at barnet lærer noget – blandt andet social tilpasning til andre børn – til gruppen og for også at blive påvirket af andre mennesker.

Det kunne jeg hævde, hvis jeg var hjemmegående og havde barnet i halvdagsbørnehave. Men nu? Nu gør jeg blot en dyd af nødvendighed.

Jeg nævnte også før, at jeg ofte oplever disse „ynke-situationer" som en form for angst og misundelse. Jeg har lagt mærke til – og det er noget temmelig trist – at det ofte drejer sig om kvinder, der har behov for at have en betydning, som ikke dækkes på anden vis. Det kan undertiden – på det helt ubevidste plan – være et råb om hjælp.

Det kan være belastende for den, det går ud over. Men værst for den råbende. For hun er noget nær umulig at hjælpe.

Hvordan give et menneske, som ikke har nogen at være noget for, som ingen rigtigt har brug for, betydning, fordi hun ikke selv har skabt sig en tilværelse med egenværdi? Hvordan hjælpe der?

Et andet problem er naturligvis dette, at jeg har et barn. Jeg møder jo ikke blot spørgsmålet „Hvorfor bliver du ikke gift?" eller hviskeriet om mig „Hvorfor gifter ingen sig med hende?", men møder også mennesker, der bebrejder mig, at

31

jeg ikke sørger for en far til mit barn.

Nu har mit barn en far, som hun ser jævnligt. Men hvis hun nu ikke havde? Så er jeg – vi, og vi er efterhånden mange – altså ikke gode nok som eneopdragere. Også på det punkt føler jeg mig nedvurderet. Og under opsyn.

Jeg har intet imod kærnefamilien, selvom jeg ikke altid er sikker på, det er den ideelle form, Men hvis jeg var en kærnefamilie, var det mere underordnet, hvordan min datter var klædt, passet og plejet. Og det var ligegyldigt, om hendes far havde så travlt med andet, at hun ikke tiere så ham, end mit barn nu ser sin far.

Jeg indrømmer, at det undertiden kan være vanskeligt at være alene med et barn. Men det er ikke mere, end jeg kan klare. Og jeg har truffet mange gifte kvinder hvis arbejds- og ansvarsbyrde langt oversteg min. Jeg har det bestemt ikke værre eller vanskeligere end mange gifte kvinder, og jeg har visse fordele, mange gifte kvinder ikke har. Jeg kan blandt andet selv bestemme, hvad jeg vil og hvad jeg ikke vil.

Vi er nogle kvinder, som ikke kan lide at blive ynket. Vi kan heller ikke lide de kvinder, der ynker os.

Og ofte har vi ondt af dem, der har ondt af os.

Det er en af grundene til, at kvindesag både er vanskelig og er „en sag". Og søstersolidaritet bliver nemt et hult ord. Fordi der er en del kvinder, man ikke kan solidarisere sig med, og som man ikke ønsker vil solidarisere sig med én.

Alt dette har med kvindesag at gøre. Men de kvinder, jeg har talt om, er dem man dårligst – eller ikke rigtigt – har nået.

Ikke fordi man ikke har villet. Men fordi de enten ikke har villet eller har turdet. De er kun lidt eller slet ikke engageret, og jeg ved ikke, om man kan bebrejde dem det.

Vi trækker os tilbage fra dem – og det er farligt (mest for dem). De opdrager deres børn til samme indstilling, som de selv har, og det er endnu farligere.

Og er den eneste løsning da, at vi finder os nogle „passende" mænd? Det lyder som tåbelighedernes højdepunkt. Men hvad skal vi gøre?

Le blev noget chokeret over den reaktion, kronikken medførte.

Der var for det første mange læserbreve. Hun blev beskyldt for at være hoven, overlegen, utaknemmelig. Uegnet til at have et barn, når hun tog så let på dets eventuelle kontakt med faderen. Når hun kunne gå ind for institutionsanbringelse.

En eller anden direktør skrev en kommentar, som dels var temmelig uforståelig, dels ikke havde ret meget med hendes kronik at gøre. Men som konkluderede, at han godt kunne forstå, at der ikke var nogen mand, der turde binde an med et så aggressivt kvindemenneske.

Der var breve, som kort gik ud på, at kvindesagen ikke ragede dem, og andre breve, der konkluderede, at kvindesagen eller „damesagen", som nogen nedladende kaldte den, var en direkte pest, ideologisk eller ikke, der ødelagde ægteskaber, normer, balance i familien, gode hævdvundne traditioner eller livsholdninger. Eller var ansvarsforflygtigende, hvordan det så ellers skulle forstås.

Der var angreb, som gik ud på, at hun var egocentrisk og kold, slet ikke havde fortjent at få nogen mand, havde fortjent at samfundet tog barnet fra hende. For med den indstilling var hun totalt uegnet som opdrager.

Andre angreb hende for at tage mod samfundets penge, selvom hun tilsyneladende havde nok. Hun var ikke bedre end den tiltagende gruppe af socialnassere, var faktisk værre, fordi hun ikke udnyttede sin privatretlige mulighed for børnebidrag, og dermed ovenikøbet umyndiggjorde faderens forhold til barnet.

Endelig var der nogle politiske kvindegrupper, som dels angreb hende for manglende politisk holdning, dels for at forråde kvindesagen ved så ensidigt at påpege negative og svage sider af den.

Alvorligere og mere belastende var den direkte respons, hun fik i form af private breve og opringninger.

Der var nogle helt perfide angreb, hvoraf nogle virkede direkte sygelige. Der var mere eller mindre „delikate" tilbud fra ukendte mænd. Der var også gentagelser fra det, hun kunne læse i avisen.

Der var de indforståede – tak fordi du skrev om det, det er min situation, du beskriver.

Men hun anede ikke, hvad hun skulle gøre ved de breve og opringninger, der bad om råd, hjælp og vejledning.

Formuleret på forskellig vis, i alle afskygninger, men indholdet var stort set: Hvad skal jeg gøre, jeg *kan* ikke mere,

3 Le

hjælp, giv et råd, jeg er ensom, jeg er så isoleret, jeg vil ikke mere. Hjælp mig.

Der var nok til at starte en hel rådgivningsklinik på.

Hun havde drøftet både kronikkens postulater og reaktionerne med Lene, som havde sagt, at man ikke ud fra de oplysninger hun fik via breve og opringninger kunne rådgive, højst hvis det drejede sig om noget rent praktisk. Alt andet kunne gøre ondt værre.

Lene var Le's bedste veninde. Der var en ubetinget fortrolighed mellem dem. De følte sig meget knyttet til hinanden, selvom det mest var Le, der havde behov for Lene.

Dette nære forhold, denne følelse af stærk samhørighed var forsåvidt mærkelig, for deres ydre vilkår var meget forskellige.

Deres første møde havde været lidt ejendommeligt for Le.

Der havde været fest på seminariet, og hun havde danset meget længe med en kollega, Andreas, som underviste i kristendomskundskab.

De havde snakket mægtig godt sammen, havde fælles interesser, fælles yndlingsforfattere, og hun var blevet mere og mere betaget af hans livlige og engagerede måde at tale på. Han dansede elendigt, men ivrigt. De drak nogle øl sammen, og han snakkede mest – med sin hurtige stemme – og hun lyttede og kommenterede. Han havde en vane med at fuldende hendes sætninger, hvilket ville have irriteret hende hos de fleste andre mænd. Men her gjorde det ikke noget, selv når han føjede noget helt andet på de halve sætninger, hun fik sagt, end hun havde ment.

Efter et par timers dejligt samvær havde han pludselig afbrudt hende midt i en sætning. Han var lige kommet i tanke om noget vigtigt:

– Hør, du skal hilse på min kone. Hende vil du sikkert kunne lide. Hun hedder Lene.

Og så havde han taget hende i hånden, og de gik op til Lene, der sad på lærerværelset i en voldsom diskussion med et par af deres kolleger.

Lene fuldførte den sætning, hun var i gang med og så derefter smilende op på dem: – I har forhåbentlig moret jer, mens jeg har prøvet at overbevise jeres reaktionære kolleger om bistandslovens fordele. I andre sammenhænge ville jeg nok have været mere forbeholden, men sikke da nogle holdninger.

– I visse situationer føler jeg mig som det modsatte af en kameleon, sagde hun til Le, da Andreas var gået efter noget drikkeligt, og de havde sat sig over i en krog, – i andre situationer føler jeg mig forbandet kameleon-agtig. Har du det også sådan?

Le havde svaret ja. Og de havde kigget på hinanden, smilet og vidst, at de kunne lide hinanden.

Lene var ti år ældre end Le. Hun var socialrådgiver med fuldtidsjob, og havde 3 børn.

Le og Lene snakkede vældig godt sammen, og da Andreas senere, lidt rastløs, eller måske fordi han følte sig noget overflødig, var gået over til en anden gruppe, sagde Le til Lene, at hun havde været lige ved at forelske sig i Andreas.

– Det gør ikke noget, hvis bare du tager højde for, at han – når vi ser bort fra mig – godt kan være troløs. Og det gør som regel ondt. Jeg er lykkelig for, at jeg er gift med ham, for ellers ville jeg forelske mig i ham, og så ville jeg blive ulykkelig.

De havde snakket i flere timer, fundet ud af hvor ens de var i deres syn på mange problemer, havde fundet enkelte punkter, de så forskelligt på.

Man kunne sige, at fortroligheden mellem dem voksede; men egentlig var der dyb fortrolighed mellem dem fra det øjeblik, de mødte hinanden.

Senere havde de talt om det. Om at de hver for sig, da de var kommet hjem, havde tænkt, at dette var bedre end en forelskelse.

I hvert fald føltes det mere sikkert og trygt.

Sten Runge

Kærlighed er en hård branche
hold dig væk
eller tag hvad der kommer.

Kristen Bjørnkjær

En lørdag formiddag ringede Lene og inviterede til middag samme dag.

– Jeg håber du kan komme, det hele bliver noget improviseret, men Andreas har truffet en bekendt, som han beundrede meget i sin ungdom. Det skal fejres. Det er maleren Sten Runge, har du lyst at træffe ham?

Ja, det havde hun.

De blev nok omkring 20 mennesker.

Le sagde, at hun glædede sig til at komme.

– Sten Runge, tænkte hun uden at kunne registrere sin stemning.

– Hvis han lægger mærke til mig, blir han min skæbne. I hvert fald en voldsom del af den.

Hun kendte ham kun fra avisomtale og serier i kulørte blade.

Hans billeder var hun vildt betaget af, havde ovenikøbet engang købt et lille et af ham, selvom hun ikke havde råd.

Hun havde læst alle de interviews med ham, der havde været i den tid, hun kunne huske, set ham et par gange i TV, og på en mærkelig måde altid vidst, at hvis hun traf ham, ville hun blive forelsket i ham. Kunne slet ikke begrunde hvorfor. Men fornemmelsen var dukket op, hver gang hun var stødt på hans navn. Det havde altid undret hende, og hun kunne ikke forklare, hvad det var, havde ellers ikke idoler, heller ikke blandt forfattere, hvilket havde været meget nærliggende.

Sten Runge. Var det hans navn, der fascinerede hende? Hans talent og billeder, som hun iøvrigt de sidste gange, han havde haft noget på udstillinger, syntes, var blevet mindre

36

intense, mere kommercielt prægede. Var det hans udstråling? Jamen hvad vidste hun om den? Kulørte blade og interviews var jo ikke netop sandhedsvidner, og fotografierne af ham havde, objektivt vurderet, vel egentlig kun afsløret, at han var blevet ældre og lidt korpulent.

Han var stadig en flot fyr. Men hun faldt jo ikke for flotte fyre. Men der var format over ham. Og over det han havde foretaget sig. Han måtte være noget særligt, det var hun sikker på.

– Du er måske bare snobbet? tænkte hun.

– Jeg er sikker på, jeg forelsker mig i ham. Jeg ved det. Jeg har altid vidst det. Jeg er latterlig.

Hun ringede til søsteren Annike og spurgte, om Marianne kunne være der om aftenen og, hvis det blev sent, også om natten. Hun skulle til fest. Det kunne nemt lade sig gøre, svarede søsteren, der selv var barnløs og holdt meget af Marianne, og det var gensidigt. Marianne nød Annikes omsorg, der grænsede til forkælelse.

Resten af dagen brugte Le til at overveje, hvad hun skulle tage på. Hvad ville gøre mest indtryk på en mand, som efter alt at dømme var en absolut viril type?

Overvejede, på hvilken måde hun skulle optræde overfor ham, hvad hun i givet fald skulle snakke med ham om, hvad interesserede ham mon?

Hvilken kvindetype foretrak han?

Hun ringede til Morten, snakkede lidt med ham og fortalte om invitationen og nervøsiteten.

– Pas nu på, sagde Morten. Rygtet siger, at han – i hvert fald i forhold til kvinder – er kyniker.

– Ja, rygter siger så meget. – Jeg skal vist optræde meget feminint i aften.

– Le, hør her, sagde han indtrængende og var pludselig meget alvorlig. – Lc, du skal være dig selv. Alt andet duer ikke. Du skal kun være dig selv.

– Du har vist ret, svarede hun. Men da hun havde lagt røret, fortsatte hun: Men hvem er jeg selv, hvordan er jeg, hvordan være sig selv, når man ikke rigtigt kan finde ud af, hvem man er. Sikker/usikker. Feminin/noget maskulin. Dominerende/sky. Cowboytøj og træsko/sophisticated klædt.

HVEM ER JEG, havde hun tit spurgte sig selv. Og havde altid kun kunnet svare: DU ER DIG, eller JEG ER MIG.

Det vil sige BÅDE/OG. Og du må lære at leve med denne spaltethed, som væsentligst er en enorm uoverensstemmelse mellem dit intellekt og dine følelser.

Hun tænkte over, hvad hun egentlig objektivt vidste om Sten Runge: 55 år, berømt maler, måske lidt på retur, fraskilt de sidste 5-6 år, glad for piger, havde i hvert fald en ny, flot pige med, hver gang der havde været billeder fra premierer og lignende.

Dem kan jeg i hvert fald ikke leve op til, tænkte hun, jeg må nok gøre indtryk intellektuelt, hvis han da er interesseret i det. Eller en blanding, hvis, hvis, hvis ...

Hun var i tvivl om, hvorvidt det var ærgerligt, at hun havde taget antabus i dag. Måske var det en fordel, hun ville hele tiden have situationen under kontrol. Måske var det en ulempe, hun ville være mindre frigjort.

– Men så kommer jeg i hvert fald ikke til at blamere mig ved at drikke mig fuld af lutter nervøsitet. Det er nok bedst sådan. Og i hvert fald er det ikke til at ændre.

Efter at have prøvet det meste af sit smartere tøj, tog hun endelig en rød, ulden skjortebluse kjole på. Og sorte strømper, sort undertøj, der svagt anedes gennem det tynde, uldne stof. Hun vidste, at rødt klædte hende godt, håret var børstet skinnende blankt, og hun havde lagt en meget omhyggelig, men diskret make-up, hvor hun gjorde meget for at fremhæve øjnene.

Da hun ville smøre mascara på vipperne, opdagede hun, at hænderne rystede for meget. Hun tog en stesolid, tændte en cigaret og satte sig ned for at vente på pillens virkning.

– Jeg tør slet ikke, tænkte hun. Og hvad, hvis han slet ikke lægger mærke til mig?

Da hun kørte derud, mærkede hun, at knæene rystede, når hun skulle skifte gear, tog en stesolid til.

Og ind trådte den lysende, sikre Le Holm. Selverhvervende, velbegavet, ambitiøs, ofte vittig og slagfærdig. Til et spændende selskab, hvor alle lagde mærke til hende.

Hun gik rundt og hilste. Der var en del, hun ikke kendte.

Sten Runge stod omgivet af en gruppe. Han talte, de lyttede. Da han holdt en pause, rakte hun ham hånden og sagde sit navn. Han holdt hendes hånd i sin og sagde: – Le, så må du være optimist.

38

– Nej, det var mine forældre, svarede hun og bemærkede, at han ikke præsenterede sig, sikker på, at hun vidste, hvem han var.

Hun tog et glas juice fra bakken med drinks og holdt sig lidt på afstand af gruppen, ville ikke mase sig på.

Lidt senere kom Sten Runge over til hende og spurgte, mens han pegede på glasset: – Er det et princip eller nødvendighed, at du drikker saftevand fremfor dry martini?

– Jeg kan som regel ikke tåle spiritus, svarede hun, så det må siges at være nødvendighed.

– Heller ikke et lille glas? spurgte han.

Samtalen i stuen var holdt op, alle lyttede. Hun vidste, at hun nu havde en moralsk forpligtelse til at være modig, selvom det var lidt vanskeligt netop i denne situation, netop overfor ham.

– Nej, heller ikke et lille glas. Jeg har taget antabus.

– Ja, det er der nok mange flere, der burde gøre, sagde han og kiggede på hende, vurderende følte hun.

– Er jeg hans smag?

– Le, sagde han, da hans øjne igen nåede hendes ansigt, jeg tror, navnet passer til dig. Dine forældre valgte rigtigt.

Det hele havde varet få sekunder, men hun følte, hun havde været til en afgørende eksamen, karakteren var endnu ikke givet, og hun kunne ikke aflæse den af hans ansigtsudtryk.

Talte de om noget? Hun kunne ikke huske det. Andre henvendte sig til ham, han snakkede meget, fik sig et par ekstra glas.

Hun huskede, at hun stod og talte med nogen, men ikke med hvem og ikke om hvad.

Prøvede at være nærværende, mens hun talte fornuft til sig selv:

– Jeg vidste det. Nej, vær nu ikke banal. Sådan forelsker man sig ikke ved første blik. Tænk nu lidt mere fornuftigt. Vær nu lidt cool. Nej, jeg er forelsket. Forelsket i en ukendt mand, der blot har fastslået, jeg er optimist.

Forelsket. Det er nok det eneste optimistiske ved mig lige nu.

Hun prøvede et øjeblik koldt at vurdere hans udseende. Og vidste, at det allerede var for sent: Udseende, opførsel, interesser, holdning overfor hende, alt var for sent.

Hun ville ikke længere kunne være objektiv. – Bare han ikke er for kold. Men også det ville hun tilgive, finde undskyldning for, kunne bortforklare.

Hun følte nærmest hudløst sin egen solgthed.

Smilede, da han henvendte sig til hende, svarede relevant, måtte have sagt noget kvikt, for hun fik også ham til at smile. Så var middagen klar, og de skulle finde deres pladser om bordet.

Lene havde engang sagt, at den eneste fordel ved at være værtinde var, at man selv kunne bestemme, hvem man ville have til bords. Man kunne tage de to mest spændende mænd og iøvrigt risikere, at de begge snakkede med deres borddamer til den anden side. Men så kunne man jo i fred koncentrere sig om sin nervøsitet med hensyn til om maden og stemningen var god.

Lene havde taget Sten Runge til bords, Le var placeret på den anden side af ham. Der var stillet en aqua minerale ved hendes plads. Sten Runge begyndte at skænke rødvin til hende, de byttede glas.

Hun betragtede ham, da han snakkede med Lene. Han var meget høj og bredskuldret, der var noget vikingeagtigt over ham, men hun vidste ikke, om vikinger havde smukke hænder og var noget overvægtige. Forlod tanken om, hvordan vikinger havde set ud, de var nok heller ikke så høje, da hendes bordherre begyndte at snakke bøger med hende.

De diskuterede Rifbjergs roman „Vejen ad hvilken", som de begge var begejstrede for, Le nok mest. Blot beklagede hun slutningens usandsynlighed. Man havde en fornemmelse af, at forfatteren ikke vidste, hvad han skulle gøre af konen, og derfor havde stillet hende for sent fra sig.

Sten Runge deltog i sidste del af samtalen og gav hende ret.

De diskuterede andre bøger, og Le konstaterede, at han havde læst en masse. Og at han havde smukke øjne, der sjældent smilede, selvom munden gjorde.

Alt var egentlig stort ved ham: Høje kindben, mørke, voldsomme øjenbryn, stor næse, stor mund med fyldige læber. Mørkt krøllet hår og skæg, der var på vej til at blive gråt.

Hun ville umuligt kunne referere, hvad de iøvrigt talte om, samtalen var springende, hun var meget lidt nærværende i forhold til sin bordherre, mente dog nok, at hun fik svaret nogenlunde fornuftigt på det, han sagde.

Men hun sad kun og ventede på de gange, Sten Runge snakkede til hende. Da var hun dybt koncentreret, bange for ikke at kunne leve op til de forventninger om hende, hun håbede han havde.

Det hele var nu ikke så vanskeligt. Han snakkede meget, hun lyttede og behøvede kun at indskyde nogle enkelte kommentarer.

Hun sad og overvejede, om hun skulle forsøge en samtale om kunst, om hans billeder, da en, der sad overfor, begyndte at tale om dette at male. Kommenterede Stens billeder, især dem fra den nyeste udstilling, kritiserede nogle detaljer og gav gode råd, var selv amatørmaler, spurgte om nogle tekniske finesser, – ville gerne have nogle gode tips, som han sagde.

Sten Runge svarede kort og koldt, vendte sig mod Le og sagde halvhøjt:

– Kender du noget mere irriterende end disse mennesker, der – fordi man er kunstner – véd alt om den kunstart, vil give gode råd, og ovenikøbet også have nogle til gengæld.

Hun smilede skævt: – Læger og advokater er vist i samme situation.

– Nej, sagde han, og det virkede selvbevidst, – kunstnere har det værre. De andre har jo mere kontante, konkrete erhverv.

Da de gik fra bordet, sagde han ikke, kom, lad os sætte os i sofaen. Men da de fulgtes ind i stuen, kunne hun mærke på ham, at han regnede med, at hun ville sætte sig ved siden af ham.

Eller var det bare noget, hun troede?

Stemningen var god. Man kunne mærke, at de forskellige snakkede godt sammen, morede sig sammen. Hun var afslappet, glad, snakkede livligt, men lyttede mest.

Andreas satte båndoptageren igang, da de havde fået kaffe og cognac.

Lene kom med øl, vand og whisky.

– Vi skal danse, sagde Sten Runge til Le, – men først skal jeg have en whisky. Du skal vel have en danskvand?

Hun nikkede. Han hentede det til dem, og hun konstaterede på farven, at det var en temmelig stiv whisky, han havde blandet sig. Han drak den i nogle store slurke, og de rejste sig.

– Jeg danser elendigt, men det gør vel ikke noget, sagde han nærmest konstaterende til hende. Hun rystede på hovedet og

41

så smilende på ham.

– Du har et smukt hår, men det ved du vel.

– Jeg er glad for, at du synes det, svarede hun.

De dansede flere gange, afbrudt af at han dansede en dans med Lene, og af at han mellem hver dans skulle have en sjus.

De snakkede lidt om, hvor rart her var, og at det var et sjovt hus, Lene og Andreas boede i.

Ved 1-tiden sagde han, at nu ville han hjem. Skulle have en taxa, spurgte om hun ville med. Hun svarede, at hun var i bil så hun kunne køre ham. Det syntes han var en god ide, og de tog afsked med Lene og Andreas.

Lene så et øjeblik noget spekulativ ud, og Le registrerede det omgående. Lene tog om Le og gav hende et knus. Le kunne se, at hun tog sig i at bruge deres specielle afskedshilsen, som ville have lydt malplaceret her.

I bilen talte de om, hvor hyggelig en fest det havde været, hvilken udmærket værtinde Lene var, – og veninde, tilføjede Le, hvor harmonisk Andreas og Lene virkede sammen, og Le fortalte, at de to stod for hende som idealet af et ægteskab, at de beviste, at man kunne være lykkelige sammen og samtidig give hinanden ubegrænset frihed.

– Tror du virkelig på det? Tror du, det kan realiseres?

– Ja, hendes stemme blev ivrig, – de beviser det. Selvom mange ikke tror dem. Det kræver da også noget. Fortrolighed. Og virkelig gensidig tillid.

– Du er alene? spurgte han.

– Ja, med en datter på 6 år.

Hun tænkte pludselig, at hun aldrig ville kunne forklare netop denne forelskelse. Hvorfor hun i løbet af få timer følte sig så bundet til ham, at hun allerede nu var bange for at være prisgivet ham.

Nogle forelskelser udviklede sig langsomt, og så ved man som regel, hvad det er, man forelsker sig i, hvilke egenskaber, hvilke karaktertræk.

Men denne?

Indtil nu havde han kun afsløret, at han var selvbevidst, drak en del, i hvert fald til denne fest, at han havde læst meget, at han virkede højt begavet, var charmerende i sin selvsikre facon.

– Og det vil højst sandsynligt være tilstrækkeligt for dig, selv hvis det gør dig ulykkelig. Vidste at hendes selv-sarkasme

42

ikke var til nogen hjælp.

– Og så har han så smukke hænder, det må være vidunderligt at føle dem, at blive rørt af dem. Hun afbrød sine tanker ved at spørge, hvor han egentlig boede.

Han boede i det indre af København. Et hyggeligt og fredeligt sted, forklarede han, med masser af lys, fordi det var en taglejlighed.

Da de holdt nedenfor ejendommen, spurgte han, om hun ville med op og se, hvordan han boede.

Det ville hun gerne.

Han tog hendes hånd, da de gik op af trappen. Han beklagede, at der ingen elevator var, de skulle helt op på femte sal.

Hun tænkte: Du får det aldrig at vide, for du ville kalde mig en sentimental gås, men du har min sjæl i din hånd lige nu, og det er så godt, din hånd virker god.

Han lukkede dem ind og kyssede hende let på kinden, mens han hængte hendes sorte læderfrakke på en bøjle.

Hun fik ikke set meget af hans lejlighed den nat. Han tændte kun et par stearinlys.

– Nu skal det gøre godt med en pernod. Jeg er bange for, at jeg ikke har nogen danskvand til dig. Hvad vil du så have?

– Et glas vand.

Han gik ud i køkkenet, og hun fik et svagt indtryk af en stor stue med meget ovenlys og store malerier.

Han kom tilbage med deres glas.

– Pernod er nu det eneste, der virkelig er værd at drikke, ikke? Nå nej, du drikker jo ikke.

– Når jeg ikke er på antabus, holder jeg meget af pernod, svarede hun.

Han havde sat sig ved siden af hende i sofaen. Han legede lidt med hendes hår, kyssede hende, først på munden, så på halsen, tog en slurk pernod og begyndte at knappe hendes kjole op.

– Du virker sød og spændende, hviskede han. Kyssede hende mellem brysterne og foreslog, at de gik ind i hans seng.

Hun nikkede, rejste sig, og da han tog sit glas for at hente en ny pernod, tog hun sit glas vand med ind i soveværelset. Tænkte: indtil nu har tilværelsen adlydt min ordre. Tænkte: han drikker enormt, uden at det kan mærkes på ham.

Hun stod lidt tøvende, da han kom med sit glas og et lys i en smuk tinstage. Vidste ikke, om han var den type mand, der kunne lide at klæde en pige af.

Han tog tøjet af og lagde sig i sengen. Hun tog kjole, sko og strømper af. Så på ham, havde trusser og brystholder på.

– Hør, er du genert, spurgte han.

– Det ved jeg ikke. Måske lige nu. Tog tøjet af og lagde sig ned i sengen ved siden af ham.

Senere tænkte hun, at han var den eneste mand, hun havde kendt, der næsten totalt sprang forspillet over. Han kyssede hende næsten ikke, rørte lidt ved hendes bryster, følte om hun var våd, sagde hun havde en god, varm kusse, og trængte ind i hende.

Hun fik orgasme, og kort efter fik han. Hun holdt om ham, ville beholde ham inde i sig, men han lagde sig om på siden, hun lagde sig tæt hen til ham. Han sov et par minutter, hun lå og var bare glad.

Han vågnede, drak en slurk pernod, legede lidt med hendes hår og tog hende igen.

De elskede næsten uafbrudt i flere timer. Ind imellem drak de lidt og snakkede.

Han fortalte om de succes'er han havde haft. Nævnte en del officielle bygninger, hvor hans billeder hang. Nævnte en del kendte mennesker – nogle kendte han personligt, – som havde købt billeder af ham.

Hun tænkte, han har det som jeg. Skal på en eller anden måde bekræftes. Eller bekræfte sig selv.

Der opstod hurtigt en fortrolighed mellem dem, følte hun. Senere var hun mindre sikker. Det var vist i udpræget grad hende, der følte en utrolig tillid til ham.

Og endnu senere undrede hun sig også over, at hun havde fortalt ham så meget om sig selv. Han havde lyttet, eller havde han?

Hun spekulerede over, men det var også senere, hvorfor hun, imod sine principper og erfaringer havde udleveret og blottet sig psykisk overfor en mand, hun næppe kendte. Men mens de lå der, tæt sammen, følte hun på en mærkelig måde, at hun kendte ham, og han hende.

Hun fortalte ham også, at hun i mange år havde vidst, at hvis hun traf ham, ville hun forelske sig i ham.

Smilede han? Han kommenterede det ikke.

Tog det som en selvfølge.

Og havde måske hørt det adskillige gange før.

44

Hun følte sig pludselig meget banal.

Da hun mærkede, han var træt, stod hun op og begyndte at klæde sig på. Han var faldet i søvn, hun trak tiden ud, gik rundt og slukkede stearinlysene, tømte askebægeret, tog sin frakke og gik ind til ham igen.

Han vågnede: Nå, du er ved at gå?

– Ja, sagde hun og satte sig på sengekanten, kælede lidt med ham.

– Du har vist et stort ømhedsbehov, konstaterede han. Hun nikkede, kunne ikke løsrive sig, ventede på, håbede på, at han ville foreslå et nyt møde.

Han lå og kiggede på hende, hun lagde sit ansigt ned mod hans og hviskede:

– Har du lyst til at se mig igen?

Han misforstod.

– Ja, sagde han og tog strømper og trusser af hende. Men denne gang følte hun ingenting, og han kunne ikke få orgasme. De var alt for trætte.

– Nej, sagde hun og klædte sig hurtigt på, – jeg mente, om du har lyst til at se mig en anden gang?

– Ja, du må da gerne ringe.

Hun fik hans telefonnummer. De aftalte, at hun skulle ringe om et par dage. Var det hende, der provokerede det frem?

Han sov, da hun lukkede sig ud af hans lejlighed. Vi holder samme avis, konstaterede hun, gik ned og startede bilen, mente hun mest var glad. Men også lidt bange.

Marianne

Jeg har et lille anker
Jeg har et lille timeglas
Jeg har en lille sol
der stråler.

Trille

Le ringede til Sten et par dage senere. Han lød lidt forundret, men de snakkede hyggeligt sammen.

– Sten, sagde hun endelig, da hun ikke kunne finde på mere at sige, – har du lyst til at se mig igen?

– Ja, det ved du da. Du fik jo også mit telefonnummer. Men jeg sidder midt i en temmelig vigtig opgave. Skal vi sige om en uge, sidst på eftermiddagen?

– Det vil jeg glæde mig til.

Le havde tit i de forhold, hun havde haft til mænd, foretrukket at komme hos dem. Ikke omvendt. I hvert fald i starten. Der var enkelte fordele, først og fremmest hensynet til Marianne. Der var også en del ulemper, den væsentligste var, at det altid var hende, der skulle beslutte at bryde op. Det kunne godt i en del tilfælde være vanskeligt at vurdere, hvornår tidspunktet var „passende", og hun havde i nogle tilfælde indtryk af, at tidspunktet var overskredet, når elskeren sov dybt. Men ikke altid.

Men hensynet til Marianne var det afgørende. Af flere grunde.

Marianne måtte ikke på nogen måde have indtryk af, at der var „en ny far", når Le ikke var sikker på forholdets styrke og måske især dets varighed.

Le ønskede under ingen omstændigheder, at Mariannes tilværelse skulle forvirres af skiftende fædre.

Også fordi Marianne havde sin far, som hun så meget jævnligt, i hvert fald hver anden week-end og dele af ferier. Marianne havde fuldstændig accepteret den form for far-mor-forhold. Havde heller ikke kendt noget andet.

De havde somme tider diskuteret denne måde at have en far på, når Marianne havde sammenlignet med andre børn i børnehaven, som havde både en far og mor hjemme. Men Marianne havde aldrig beklaget, at Jacob ikke var der konstant.

Marianne var iøvrigt glad for både sine halvsøskende og for Kirsten. I begyndelsen havde der været lidt jalousi fra Kirstens side, men det var forsvundet med årene.

Hvis man spurgte Le, om Marianne blev opdraget efter bestemte principper, ville hun vanskeligt kunne svare.

Hun havde ingen færdige meninger, vidste hvor forskellige børn var, og havde med Marianne opdaget, hvor meget reaktionerne varierede, dels afhængig af alderstrin dels af de enkelte situationer.

Hun glemte aldrig den lille tale, hun havde holdt til Marianne, første gang hun lå med hende i armene: „Pige, det kan godt være, jeg kommer til at svigte dig. Det kan godt være, jeg lover dig mere, end jeg kan holde. Du skal vide, at jeg kan være noget inkonsekvent. Men du skal også vide, at gør jeg dig ondt, er det ikke ondt ment.

Jeg vil virkelig alvorligt gøre hvad jeg kan for at give dig tryghed. Jeg tror, det er det vigtigste for dig, mens du vokser op. Der vil være så meget, jeg ikke kan beskytte dig imod, men den tryghed jeg lover dig nu i forholdet til mig, vil jeg virkeligt arbejde for.

Pige, du er endnu ikke en dag gammel, på en måde har jeg kendt dig altid, på den anden side ved jeg ikke, hvem du er.

Men du skal vide, at jeg elsker dig, som jeg aldrig har elsket et menneske før, og aldrig vil komme til at elske nogen.

Det gør vort forhold enestående.

Og selvom jeg måske til tider vil forsøge at ændre dig, vil jeg altid respektere, at du er en selvstændig person, at du er noget helt særligt, at der ikke findes nogen, der er som du.

Vi to vil givetvis komme i situationer, hvor vi ikke er enige. Og jeg ved allerede nu, at jeg i forholdet til dig vil have megen skyldfølelse og usikkerhed.

Men lad os ikke snakke problemer på din første dag. Kun dette: Jeg er din mor, og mit største ønske er at give dig al den kærlighed og tryghed jeg kan, og som du har brug for og krav på".

Hun tænkte tit på denne første dag med Marianne. På de ord, hun havde brugt og ment. Hvordan vide, om man gav kærlighed nok? Og tryghed?

Opdragelsesprincipper. De første år havde hun læst meget og også lært en del. Havde forstået nogle af Mariannes reaktioner ud fra det læste. Men langt fra alt.

Teorien var på et eller andet tidspunkt blevet erstattet af en mere intuitiv fornemmelse for Mariannes behov. Og for hvad hun selv mente, måtte være bedst for Marianne.

Men skyldfølelsen meldte sig tit og var et vanskeligt og stort problem.

Den kom dels udefra: Marianne som skilsmissebarn, Marianne som enebarn, Marianne som institutionsbarn.

Men vanskeligere indefra: var alt det, hun anså for gode principper kun undskyldninger for, at hun kunne leve den tilværelse, hun ønskede?

Hun diskuterede tit disse problemer med Lene. Men så kom tvivlen igen, hun valgte måske netop Lene for at blive bekræftet?

– Selvfølgelig vælger du mig, sagde Lene. – Det ville da også være tåbeligt at snakke med nogen, hvis opdragelsesform du ikke kan godtage. Gør det nu ikke så indviklet. Den bedste – og sikreste – bekræftelse på, at du gør det rigtige, løber jo lyslevende rundt og er glad og tilfreds. Hvad vil du egentlig mere?

Le havde faktisk ingen problemer med Marianne. Hun havde været i en god vuggestue, hvor man virkelig havde taget sig af hende, givet sig tid til at pusle, kærtegne og lege. Derefter en god børnehave, hvor Marianne elskede at være. Pædagogikken var i overensstemmelse med Le's indstilling, og Marianne kom hver dag glad, inspireret og tilfreds hjem.

Skulle man kritisere, og Le havde taget det op på et forældremøde og iøvrigt diskuteret det med pædagogerne, var kønsrolleopdragelsen alt for traditionel. Men hun havde opdaget, hvor vanskeligt det var for pædagogerne, der forsøgte så meget, det var muligt.

Langt de fleste forældre ønskede det traditionelle mønster bibeholdt. De blev bange – og enkelte direkte aggressive – hvis pædagogerne på nogle punkter forsøgte at ændre de fastlagte normer.

48

En af pædagogerne havde nærmest undskyldende sagt til hende:
– Du, det kan vi kun gøre meget lidt ved. Det bliver din opgave derhjemme.

Marianne virkede ofte betydeligt mere moden end andre børn på samme alder.

Når nogen kaldte det for et enebarns-fænomen med deraf følgende gammelkloghed, var der kun en lille del sandhed i det.

Det væsentligste var, at Le altid havde talt til Marianne som til en voksen, var stoppet op og havde forklaret, når der var ord, Marianne ikke forstod, og havde lært Marianne hele tiden at spørge.

Det andet var, at Le respekterede Mariannes meninger på linje med en voksens. Det medførte, at var de uenige, måtte de snakke sig frem til en eventuel enighed. Det havde de kunnet de sidste 2-3 år. Endelig skyldtes det, at Marianne altid havde fået ærlige svar på det hun spurgte om.

De havde et par problemer, som de ikke kunne løse. De var enige om ønsket, men Marianne kunne ikke forstå, hvorfor det ikke kunne ordnes omgående: hun ville have en lillesøster eller lillebror.

Le ville gerne have et barn mere, også af hensyn til Marianne, men det var betydelig vanskeligere end Mariannes helt enkle forslag:

„Du kan bare finde en mand, eller også spørger jeg far".

Da Le var begyndt at overveje Mariannes første forslag, så hun en masse problemer, selvom mænd efterhånden var så sikre på, at piger spiste p-piller, så de end ikke spurgte.

Det var ikke så meget dér, problemet lå. Men for det første skulle man finde manden, som man ønskede at blive gravid med. Dernæst ville det – i hvert fald efter Le's begreber – være uetisk ikke at gøre ham opmærksom på ønsket. Hvis forholdet kunne bære dette og manden lade sig overbevise om, at han ikke ville blive stillet overfor økonomiske krav fra hendes side, og det kunne kun blive et tillidsspørgsmål, skulle der rejses faderskabssag. Le skulle enten indrømme faderens navn og undlade at kræve bidrag eller nægte at oplyse, hvem faderen var. Det hele blev ligesom lidt uoverskueligt.

Le søgte at overbevise Marianne om, at de havde det bedst de to alene. Men Marianne lod sig ikke overbevise.

– Jeg skal nok passe den, sagde hun, når hun mistænkte Le for, at det væsentligt var et praktisk problem.

Det diskuterede de en del, og Le måtte få Marianne til at love ikke at spørge nogen, om de ville være den eventuelle far. Det forstod Marianne ikke rigtigt. Men akcepterede det tildels.

Et andet problem var, når Le var ude med en mand og eventuelt blev hos ham om natten. Det var ikke noget praktisk problem, for søsteren Annike ville hellere end gerne passe Marianne, som elskede hende højt.

– Jeg har 2 mødre, havde hun sagt et par gange, – min bedste mor og så mor Annike.

Søsteren var free-lance-tegner og boede i nærheden. Det var en aftale, at hvis Le skulle ud, kunne Marianne altid være der, og Annike ville bringe og hente hende i børnehaven.

Problemet var opstået den sidste tid, fordi Marianne ønskede at se den mand, Le skulle ud med.

– „Tænk, hvis det bliver en anden far, så vil jeg da se ham først. Det kan ikke nytte, du bliver glad for ham, hvis jeg ikke kan lide ham".

„Nej," havde Le svaret, „men for det første skal jeg jo finde ud af, om jeg kan lide ham, og om han kan lide mig. Du må forstå, det er ikke så let, som du siger. Og tænk, hvis du så kan lide ham og han ikke os."

Marianne havde meget rørende sagt, at alle måtte kunne lide Le, men altså, hvis det skulle være, ville hun hellere end gerne over til Annike.

– Ham du skal besøge i morgen, er han rar og sjov? Kan han lide børn? spurgte hun tirsdag.

– Jeg ved det ikke, Marianne, svarede Le mens hun tænkte, „rar og sjov"? nu begynder jeg vist at være uærlig overfor hende.

– Vil du fortælle mig om ham, hvordan han er, når du har besøgt ham? spurgte Marianne videre.

– Jeg ved ikke.

– Hvorfor ikke? Du besøger da ikke en mand, der ikke er rar, vel? Og venlig. Og kan lide børn. Og er sjov, vel? insisterede Marianne.

– Jeg ved det ikke. Le blev pludselig lidt trist.

50

Onsdag skyndte hun sig hjem fra seminariet, vaskede hår, gik i bad, fik håret tørret på rekordtid og børstede det skinnende blankt. Stoppede op: hvad var „sidst på eftermiddagen"? Besluttede, at det måtte være halvfem, let make-up, for meget så så tåbeligt udsmurt ud, når man havde været i seng sammen. Eau de cologne: „Nonchalance" – bare jeg var det i stedet for at lugte af det. Tøj: havde købt en ruskindskjole, irgrønt tørklæde og sko, vidste ikke, at irgrønt ville blive hendes yndlingsfarve.

Drak masser af vand, var konstant tør i mund og hals. Vidste ikke, om det var forelskelse eller angst, måske en blanding.

Kæderøg, ville ikke komme for tidligt, kom på trods af parkeringsvanskeligheder en halv time tidligere end besluttet, drev lidt rundt, fastslog, at „sidst på eftermiddagen" godt kunne være ti minutter over fire, gik op og ringede på.

Hun fik en lille omfavnelse og kys på kinden. Han sagde drillende, da han hængte den sorte frakke med de store metalknapper på bøjle:

– Du ligner en lille matros. Jeg har lavet kaffe, har glemt at købe danskvand, jeg omgås så få afholdsfolk, gør det noget?

De sad i hans pragtfulde stue, der var utrolig sikkert møbleret, kun i farverne naturhvidt og brune nuancer. Et par askebægere og nogle smukke lysestager, ellers intet nips. Store billeder, dels af ham selv, dels af andre kendte kunstnere. I det ene hjørne et staffeli, et bord til malergrej og et stort tegnebord.

Hun drak masser af kaffe, også for at få stemmebåndet til at fungere normalt, men begyndte så pludselig at slappe af. De snakkede hyggeligt sammen, hun om sit arbejde, lidt om Marianne, han om en større opgave han havde fået.

Han tog sit glas og satte sig over til hende i sofaen, rørte ved hendes hår, løsnede tørklædet og spurgte: Skal det kun være en snakkedag?

Hun rystede på hovedet, de rejste sig og gik ind i hans soveværelse.

Møbleringen lige så enkel her: Kæmpe, antik messingseng med kugler, to vægge med reoler, et klædeskab og et lavt bord med to lyse lænestole i læder.

Ligesom første gang tog han hende næsten omgående. Kyssede hende voldsomt og dejligt, mens han følte, om hun var våd og åben. Han havde en ejendommelig kontant måde at elske på. Hun fik orgasme et par gange, han også. Derefter lå de ved siden af hinanden. Hun ville kæle med ham, men mærkede at han ikke brød sig om det.

Han lå og udviklede nogle teorier om mænds og kvinders seksualliv. Mente, man de senere år havde gjort det alt for indviklet. Mente, kvinder og mænd havde samme behov, som nemt kunne opfyldes uden indviklede lærebøger, brevkasser og lignende. Det gjaldt om at få orgasme. De havde lige bevist hvor enkelt det var.

– Mærkelige mand, tænkte hun, – hvor tør du være så sikker. Hvordan kan du vide det. Du har ikke engang spurgt, om jeg er enig med dig, det regner du bare med. Tænkte: senere, når – eller hvis jeg lærer dig bedre at kende, vil jeg modsige dig. Men jeg tør ikke nu. Tør ikke fortælle dig, at min krop ikke er tilfreds, selvom den fungerer tilfredsstillende og virker tilfredsstillet. Min krop brænder efter kærtegn, berøring, kys, efter dine hænder, din mund.

– Jeg skal have en pernod, sagde han og skrævede hen over hende, hvad med dig?

– Et glas vand.

Da han kom ind igen, tog han dynen af hende, så vurderende på hendes krop. Flotte bryster, konstaterede han. Og lidt senere, da hun sad på ham med lukkede øjne, fordi nydelsen var intens, tog han om hende og konstaterede, at hun havde „en flot røv, en af de flotteste, han havde kendt".

Selvom hun som regel hellere ville opfattes som en helhed, ikke stykkes ud i dele og objektiviseres, blev hun glad, fordi det var ham, der sagde det.

„Hør, vi er sultne" sagde han, trak i en gammel pull-over og rakte hende en irgrøn thaisilkeskjorte. Han var sikker på, den ville klæde hende. Og den blev for hende symbolet på deres, nej, hendes kærlighed.

De sad ude i hans lille køkken på skamler og spiste fedtemad med spegepølse. Hun var fuldkommen afslappet og lykkelig.

Han fortalte om udkastet til et stort projekt, han lige havde afleveret. Det ville blive dyrt at udforme, og han havde betinget sig helt frie hænder, ingen indblanding.

Pludselig sagde han med et smil: Jeg vil engang male dit navn. Som en ordre. Det er da en udfordring.

– Nej, nej, han så på hende, et begyndende smil og i hvert fald en afslørende glæde i hendes øjne. – Det bliver uden model.

Lidt senere, da de sad i hans stue, mærkede hun, at samtalen blev anstrengt og besværlig. Bør jeg nu gå? tænkte hun, men havde ikke lyst. Gik lidt rundt i hans lejlighed, så på hans billeder, som hun oprigtigt beundrede.

– Det bedste hænger i spisestuen, sagde han og fulgte med hende derind. Hun opdagede hans sårbarhed, fordi hun havde en enkelt indvending, som han hæftede sig meget ved, modsagde og kom med et længere forsvar for.

Han så, at hun havde fået øje på en sammenklappelig rullestol, der stod i et hjørne.

– Den er til Malene, forklarede han. Det er min datter. Hun er 12 år, åndssvag og lam. Jeg bruger den, når hun besøger mig.

– Har du andre børn, spurgte hun og følte en voldsom medlidenhed.

– Ja, to sønner, 11 og 14 år. De er heldigvis raske.

Da de kom ind i dagligstuen igen, satte han sig ikke ved siden af hende i sofaen, men i en lænestol og sad nærmest med ryggen til hende og drak. Hun gik igen rundt i stuen, for på en „naturlig" måde at komme nærmere til ham, for at kunne se ham. Satte sig på gulvet ved hans lænestol, ville røre ham, men mærkede, det var ham imod.

De sad lidt, han virkede træt, de gik ind i sengen. Fik han orgasme denne gang, holdt hans teorier stik? Han faldt i søvn, hun klædte sig på, han vågnede, da hun lagde dynen om ham, de aftalte, hun skulle ringe mandag.

Da hun kørte hjem, tænkte hun: – Lad være at analysere for meget, du skal kende ham bedre.

Tænkte: Hvad skal jeg svare, hvis Marianne spørger. Det samme? Jeg ved ikke noget.

Ægteskabet

– når man er alene sammen

Når Le tænkte tilbage på de to år, hun havde været gift, havde hun altid svært ved at genkalde forløbet i det. Det hele var på en eller anden måde, i hvert fald i erindringen, koncentreret om Marianne, selvom der havde været en periode forud. Hun vidste, at hun havde været forelsket i Jacob. Så var hun blevet gravid, så var de blevet gift. Havde de været lykkelige, i hvert fald en periode? Hun kunne simpelthen ikke huske det.

Det hele forekom hende som en ensformig strøm af dage. Hun kunne så godt som ingen begivenheder huske, andet end det helt afgørende, at Marianne blev født, da de havde været gift et halvt år. Og at de var flyttet fra hinanden halvandet år senere.

Hun huskede, at hun havde foreslået Jacob at være med ved fødslen, men han havde undslået sig. Og selvom det havde undret hende, havde hun ikke presset ham, men accepteret hans holdning.

Måske var det en af fejltagelserne i deres forhold?

For hun huskede den lange ventetid, var kommet alt for tidligt på hospitalet, havde følt sig utroligt ensom i ventetiden med veerne, men havde levet denne ensomhed igennem, havde følt sig stærk også under selve fødslen med dens smerter. Og som en meget dominerende følelse: – dette var *hendes* barn.

Jacob havde været glad og lykkelig, da fødslen var overstået, havde opført sig som tusindvis af andre fædre i samme situation. Men barnet var så absolut hendes.

Hun troede egentlig ikke, hun havde villet det sådan. Men ensomheden den nat, og ensomheden i smerterne, var *hendes*

54

i så udstrakt grad, at lykken over datteren på samme måde blev specielt hendes.

Hun havde altid vidst, at hendes barn, eller børn, hvis hun fik flere, skulle have almindelige navne. Ikke noget, der krævede forklaringer eller morsomme svar.

Hun ville have et almindeligt barn med en almindelig opvækst og et almindeligt navn.

Det blev til Marianne, skilsmissebarn fra hun var 18 måneder. Og den almindelige opvækst?

Hun kunne egentlig vældig godt lide Jacob. De snakkede rart sammen, når han hentede eller afleverede Marianne. Hun kunne blot ikke forstå, at hun havde været forelsket i ham. Og slet ikke, at hun måtte have elsket ham og levet tæt sammen med ham i 2 år.

Hun havde engang spurgt ham om deres ægteskab. Havde indrømmet, at hun selv huskede meget lidt om det, det hun huskede var en flydende strøm af nærmest ens dage.

Han havde virket lidt forundret, måske lidt stødt, men havde sagt noget om, at dagene vel var ret ens, og at Marianne vel havde spillet den største rolle i dagene.

– Jamen tiden forud?

– Ja, da var du jo gravid.

– Det er da ikke noget svar.

– Jo, på en måde. Vi læste mange bøger, du især, og var meget optaget af din mave.

– Der må da også have været andet?

– Ja, naturligvis.

– Men hvad?

Han havde ikke svaret. Måske ikke kunnet.

– Og tiden forud for graviditeten? Vi kendte da hinanden et stykke tid.

– Ja, vi var vel som alle andre, der læste. Gik til forelæsninger, gik til fester, diskuterede, gik i seng med hinanden.

– Jamen, Jacob, havde hun insisteret, – det kan da stadig ikke være alt?

– Hvorfor ikke? Han havde pludselig lydt irriteret – hvorfor vil du, der skal være noget specielt ved os? Jeg forelskede mig i dig, fordi du hed Le, virkede provensiel og havde en sjov accent.

– Og jeg, tænkte hun, mens hun fulgte ham ud, – jeg forelskede mig nok i dig, fordi du var ældre, var københavner med den sikkerhed, det indebar, og fordi jeg følte mig temmelig ensom, indtil jeg traf dig, og du blev interesseret i mig.

Hun huskede, at den mest dominerende følelse sammen med lykken over Marianne, var en ansvarsfølelse, opstået i det øjeblik hun første gang lå med Marianne i sine arme.

Havde besluttet at gøre studierne færdig hurtigt, havde på en eller anden måde vidst, at også denne ansvarlighed for det helt forsvarsløse alene var hendes. Havde fra første øjeblik følt, at dette barn var prisgivet hende.

Det var måske en af de andre fejl ved deres ægteskab, at de aldrig havde diskuteret det? I det hele taget havde de diskuteret meget lidt.

Havde hun på en eller anden måde taget noget fra Jacob ved ikke at gøre ham ansvarlig? Ved at forvente for lidt?

Han havde taget så meget som en selvfølge, ligesom accepteret tingene som de kom. Hun havde analyseret og haft mange overvejelser i forhold til, hvad der skete. Men aldrig gjort ham til en del af det. Ved ligesom at forvente, at han ikke så nogen problemer, ved ikke at protestere mod, at alt praktisk var hendes område, ved at godtage, at hans tilværelse ikke var ændret ved ægteskab, graviditet, fødsel og børnepasning, havde hun nok ubevidst isoleret ham.

Den største fejl var – så hun senere – at hun havde forventet, at han intuitivt skulle eller ville føle det samme som hun, nok især ansvarligheden overfor Marianne. Derfor var skuffelsen over, at det ikke skete, efterhånden blevet så stor, at det ødelagde deres forhold.

I dag ville hun have talt med ham om det, ville have tvunget ham til at deltage, ville have diskuteret sine tanker og problemer med ham.

Men det gjorde hun ikke dengang.

Blev bare mere og mere skuffet, følte sig mere og mere alene, både når han var hjemme, og når han gik, fordi han deltog i en masse aktiviteter på universitetet. Huskede også en bitterhed der voksede, fordi det var en selvfølge, at *han* gik, og *hun* blev hjemme hos Marianne.

Han tog aldrig de diskussioner op, som havde været nødvendige, for at forholdet havde kunnet fortsætte. Tog det som en selvfølge, at *han* kunne gå, *hun* måtte blive hjemme.

Det gav hende tid til at læse og mulighed for at blive færdig med studierne længe før han. Hun havde altid været flittigere og mere målbevidst, havde aldrig deltaget i så meget andet som han, så på en måde kunne man mene, at hun egentlig var urimelig i sine forventninger til ham.

Men det, der nagede var, at han ved den selvfølgelighed, hvormed han på intet punkt ændrede sin tilværelse, gjorde, at de egentlig aldrig rigtigt følte sig som en familie.

Hun følte det i hvert fald ikke.

Den dag, hun havde taget embedseksamen, mærkede hun en form for misundelse, som han søgte at skjule ved at foreslå, at de skulle invitere alle venner og bekendte til fest.

Hun var totalt ødelagt af træthed, eksamensnervøsitet og skuffelse over, at han ikke engang den sidste tid havde haft fornemmelse for, at hun skulle aflastes.

Hun havde i en alt for behersket og rolig tone sagt til ham:

– Jacob, sæt dig for en gangs skyld ned og læg mærke til mig. Vi skal nemlig ikke feste. Vi skal skilles.

Onsdage

mine overflødige hænder
mine overflødige læber
mine overflødige øjne
mine overflødige ord
min brugbare krop
hvilken fattigdom
for dig
i dig

Hendes forhold til Sten udviklede sig til, at hun ringede om mandagen, besøgte ham om onsdagen.

Hun var undertiden i tvivl om, hvorvidt det noget rituelle i dette arrangement var godt, men måske kunne han lide ritualer; eller onsdag var bare den dag, der passede ham bedst.

Når hun siden ville rekonstruere, hvad der var sket, hvad der var hændt, gled nogle onsdage sammen i hendes bevidsthed, kunne ikke holdes ude fra hinanden.

Andre stod skærende skarpe.

Hun ønskede tit, at hun i sin vurdering af, hvorledes disse sene eftermiddage, aftner og nætter forløb, kunne stille dem op i bøjningsformen: god – bedre – bedst. Men noget kynisk måtte hun, i hvert fald efter nogen tid, konstatere, at det var mere realistisk at vurdere ud fra promillegraden.

Men hun var heller ikke sikker på, om denne vurdering kunne holde. Der var andre forhold, der spillede ind. Ofte var hun heller ikke klar over, hvor påvirket han var, når hun kom, fordi hans evne til at tåle store kvanta spiritus, uden at det var særlig mærkbart, var enorm.

Det var heller ikke kun et spørgsmål om, hvor meget han havde drukket, eller hvad han havde drukket. Hans væremåde var lige så ofte betinget af, hvordan dagen eller ugen var gået, hvad han havde oplevet, og især om han havde fået malet, arbejdet.

Hun havde også en mistanke om, at hun, når hun følte sig særlig såret, gav drikkeriet årsagen for at undskylde ham.

De dejligste onsdage var dog dem, hvor han var udgået for

pernod og drak hvidvin eller øl i stedet.

Det centrale i forholdet var ganske enkelt, at hun blev mere og mere forelsket i ham, at hun ikke anede, om han følte noget for hende, at hun gjorde små forsøg på at få ham til at åbne sig, vise nogle følelser, at næsten alt, hvad der kunne henregnes under det følelsesmæssige, fra hans side foregik i sengen.

En onsdag: De sad i hver sit hjørne af sofaen. Hun rykkede nærmere, ville røre ham, ville at han skulle røre hende.

– Hvorfor bliver du ved at rykke nærmere? spurgte han med løftede øjenbryn.

– Fordi jeg fik lyst til at røre ved dig. Lyst til, at du kyssede mig.

– Kysseri er tidsspilde.

Berøring var øjensynlig det samme, eller – hvilket hun havde bemærket tidligere – noget der var ham direkte imod.

Han følte det tit ubehageligt, når hun så på ham, sad ofte delvis med ryggen til hende.

Le spurgte ham engang: – Hvordan var du egentlig som helt ung, som ung mand?

– Håbløs, usikker, kejtet. Det værste man kan være i denne verden. Men jeg overvandt det.

Hans stemme lød næsten barnagtigt stolt.

– Og du? Han så køligt vurderende på hende, da hun ledte efter svaret.

– Nok på samme måde. Og jeg har vist kun overvundet det delvist. Og jeg er heller ikke så sikker på, om jeg ønsker mere.

Han rystede forundret på hovedet. Så overbærende på hende.

Hun følte i stigende grad, at hun i forhold til ham havde en flakkende stil, anede ofte ikke, hvordan hun skulle opføre sig.

Spurgte ham senere, da de lå i sengen sammen: – Hvad kalder du det at gå i seng med en pige?

– At elske.

En onsdag bebrejdede han hende, at hun ikke rørte ham, ikke kyssede ham, ikke var impulsiv.

Hun blev alt for glad over hans bebrejdelse. – Nu må jeg røre ham, tage om ham, tænkte hun.

Og videre, han holder mig fast ved at være så modsætningsfuld, han fascinerer mig ved at være en stor selvmodsigelse. Han binder mig med sine svingninger. Det, at jeg aldrig ved,

59

hvor jeg har ham, endnu ikke ved, hvem han er.

Andre mænd kan man forudsige år ud i fremtiden. Men han. Han svinger ikke blot fra onsdag til onsdag, men fra minut til minut.

Hans pludselige aggressioner. Hans pludselige begejstring for et eller andet.

Det er desværre besværligt men alt for dejligt, når det er godt, at elske et så uberegneligt menneske.

En onsdag spurgte han pludselig: – Hvad interesserer dig mest i livet? og hun svarede uden tøven: – Mig selv.

Alle andre spørgsmål måtte hun overveje, ville virke kvik eller behage, og især leve op til nogle forventninger, hun ikke kunne gennemskue. Men ville samtidig ikke være falsk.

Hun kunne i stedet for mig selv lige så godt have svaret: dig. For i det øjeblik, i den tid, var han det eneste der interesserede hende. Men det ville alligevel have været uærligt. For han interesserede hende jo i relation til hende.

En onsdag: Han spurgte pludselig i en af de lange pauser, der var opstået: – Nå har du haft nogle sjælelige oplevelser siden sidst?

Hvad han mente?

En skuldertrækning, et køligt smil.

Hun fortalte om et lærermøde, hvor hun havde kedet sig, havde skrevet i sin kalender ud for onsdag: Hvad vil jeg? Morten, der sad ved siden af, havde nedenunder noteret – det hele. Hun fortalte ikke, at hun på tredie linie havde skrevet – det umulige. Hun var iøvrigt lige nu mere optaget af, at hun havde fået menstruation i utide af lutter nervøsitet, kunne fornemme, at aftenen ville blive ond.

– Hvorfor er du egentlig ikke gift?

Hun trak på skulderen. – Der er vel flere grunde. Vi kan jo fastslå, at der ikke er nogen mand, der vil have mig. Eller at jeg i hvert fald ikke har truffet en, der har spurgt, om jeg vil have ham.

Hun prøvede at se ironisk ud, da hun smilede til ham. Fortsatte: – Jeg har iøvrigt været gift. Et par år.

– Men så fandt han en anden?

– Nej, jeg ville ikke mere. Det var mig der gik. Og uden at have fundet en anden.

Han spurgte hende ikke om grunden. Sad tavs og betragtede hende. Hun fortsatte: – Og du? Du har jo også været gift.

I mange år. Det var vel dig der gik. Hvorfor egentlig?

Hun vidste, han havde været gift med en psykiater.

– Det var ikke mig der gik. Vi var enige. Vi havde ikke noget at sige hinanden de sidste mange år.

Hun så problemer i alt. Hvis noget ikke var problematisk i forvejen, skulle hun nok sørge for, det blev det. Forholdet til vore børn. Børneopdragelse. Forholdet til vore venner. Alt og alle.

Han vrængede, hans ansigt blev pludselig grimt:

– Børneopdragelse, i alle afskygninger. I pædagogisk, social, socialmedicinsk, psykologisk, men først og fremmest i psykiatrisk belysning. Det var uudholdeligt, bræksommeligt. Hun tog sit arbejde med hjem. Ikke journaler, men hun var så optaget af sine patienter, kunne tale i timevis om dem, analysere dem, påvise baggrundsfaktorer. Og hvad ragede det mig.

Hun havde et mindre, psykisk problem, lette depressioner. Hun satte en ære i at skjule dem, at fungere perfekt. Kun ikke overfor mig. Det var nu ikke noget særligt, skete sjældent, og det meste var vist skaberi. Hun brugte det til at dominere mig med, tvinge mig, jeg ved ikke til hvad.

Nå, nu gør jeg hende nok uret. Hun var iøvrigt et spændende menneske. På mange måder interessant og levende.

Hvis bare hun ikke havde været så manisk optaget af sit arbejde. Og så alle de problemer. Dem der var. Og dem hun så. Og dem hun opdagede. Og dem hun selv lavede.

Hun lærte mig at hade og afsky problemer.

– Jamen, man kan da ikke undgå dem, indvendte Le.

– I højere grad, end du nok tror. Om ikke andet så ved at flygte, når man får fornemmelsen af, at der er ved at opstå nogle. Livet kan gøres betydelig mere problemfrit, end de fleste mener. Det har jeg da lært. Og det lever jeg efter. Og det vil jeg blive ved med.

Da de havde elsket, eller forsøgt på det, – det havde ikke været særlig vellykket, de var begge svedige, han havde drukket voldsomt, – lå de og småsnakkede om ligegyldige ting.

Han sov indimellem, vågnede op og drak mere pernod, fortalte erindringer, mest om piger, han havde erobret. Prøvede igen at få orgasme, hun mærkede, han var aggressiv, han sov lidt, de snakkede lidt, tit hørte han ikke, hvad hun sagde.

Pludselig bebrejdede han hende voldsomt, at hun havde en så elendig artikulation.

Måneder efter opdagede hun, at hun ikke var i stand til at udtale netop det ord korrekt.

En onsdag: Han fortalte om sine børn. Det var godt og trygt. Han var rørende og engageret. Savnede dem, selvom han så dem ofte. Han vidste ikke, om han opførte sig rigtigt overfor dem. Han sad pludselig og virkede usikker og dejligt almindelig.

Børnene kunne de snakke om. Selvom han spurgte meget lidt til Marianne.

Talte en del om Malene. Var ulykkelig over hendes handicap, men elskede hende. Talte akavet, var bitter på tilværelsen over hendes skæbne, men hans kærlige fortællen om hende gjorde ham varm og smuk.

Han virkede pludselig så kejtet. Havde ikke situationen under kontrol. Det værste der kunne ske for ham, vidste hun. For han ville bestemme situationen. Hun vidste også, at han om et øjeblik ville blive aggressiv af samme grund. Men hun havde set hans usikkerhed, og hun elskede den.

Pludselig svingede han. De begyndte at tale kvindesag. Han hånede hende for, at hun gad spilde det en tanke.

Diskussionen var ganske kort, det kedede ham ind i helvede, han glemte, at han selv havde bragt det på bane. Han mente ikke, der var forskel – eller blev gjort forskel. Det var hysteri.

Han anførte, at der aldrig blev sagt noget nyt.

Le svarede, at hun kendte masser af andre emner og områder hvor der måske heller ikke blev sagt noget nyt, men at de alligevel fortsat var værd at diskutere.

Han trak på skulderen.

Hvorfor sagde hun ikke, at de to netop var bevis på en meget stor forskel? Og at man var nået meget kort. Var hun bange for at blive latterliggjort. Han var bedre til at argumentere end hun. Eller var det bare en facon?

Hun tænkte: Hvad i alverden er der ved den mand, der hyler mig så totalt ud og gør mig så akavet og anspændt?

Havde aldrig oplevet det før.

Forstod det ikke: blev mere og mere forelsket i ham.

– Man skulle tro, jeg er masokist. Men så ville jeg nyde det. Nu gør det kun ondt.

Senere tænkte hun tit, at han næsten aldrig havde fortalt

noget væsentligt om sig selv. Næsten altid kun erindringer og ydre oplevelser.

Tænkte: jeg blotter mig, og han gemmer sig.

Tænkte: han gør mig hudløs, så det smerter. Jeg vil finde ham.

Andre onsdage: Gode, rare samtaler. Troede hun var nået længere ind til ham. Disse dage var forbundet med hyggelig sludren i køkkenet og hun i hans irgrønne thaisilkeskjorte. Hun opfattede den som bevis for, at det ville lykkes hende at nå ham. Han var varm og nærværende og ikke arrogant. Hun måtte røre ham.

Andre onsdage: Han fortalte hende ofte, at hun bortset fra en pige han havde kendt i sin ungdom, var det mest erotiske, han nogensinde havde mødt.

Hun blev glad, tog det som en kompliment, men først og fremmest at hun betød noget for ham.

Blev senere bange: Hvis han nu går og tror, at jeg er supererotisk, bliver han måske bange for ikke at kunne leve op til de krav, jeg *ikke* stiller. Forklarede ham, at det var ham, der gjorde hende erotisk.

– Har du altid så våd en kusse? spurgte han engang.

– Nej, svarede hun, kun når du er i nærheden.

– Din krop er som et landskab. Ville jeg male dig, ville det blive et godt landskab. Bakket og frodigt som Langeland. Personer skuffer, forstår du, derfor kan jeg heller ikke lide at male dem. Men landskaber og belysninger er gode og fornyende. De ændrer sig. Men på en god måde. Og gentager sig.

Mennesker derimod, de fleste bliver kun grimmere, og man kan hele tiden se eller ane forfaldet.

En onsdag: Hun havde sagt et eller andet, som han arrogant havde karakteriseret som intellektuelle floskler og følelsesmæssigt sludder.

Hun sad i hans sofa, modfalden, med hænderne i skødet, følte selv, hvordan hun faldt sammen, både indvendig og i det ydre.

– Bliv siddende sådan, udbrød han, sådan sad min mor ofte. Det er en smuk stilling.

Hun blev siddende, var tavs et stykke tid. Han så på hende, men hun så ikke op.

Han skænkede sig en pernod, rejste sig, stemningen var

63

brudt, skulle brydes.

– Hvordan var din mor? Fortæl mig om hende.

– Hun var enestående. Opofrende, sled for os børn. Hun elskede mig. Var stolt af mig. Jeg har aldrig truffet nogen som hende. Jeg elskede hende grænseløst. Min mor var den eneste kvinde, jeg har kendt, der var helt uden svig.

Hun elskede mig betingelsesløst.

– Hvordan så hun ud? Har du et billede af hende?

– Hun var smuk. Hun havde format. Nej, jeg vil ikke vise dig et billede af hende. Fotografier siger ingenting.

Han gentog stolt: – Hun elskede mig betingelsesløst.

Le begyndte at forstå, hvorfor nogle kvinder afskyr deres svigermødre.

– Le, spurgte han pludselig, igen voldsomt svingende, – du som er så litterært interesseret, hvad mener du er malerkunstens største begrænsning?

– At den kommer ud til så få. Bortset fra den kunst, der hænger i offentlige bygninger.

– Og du tror ikke, at få, der glæder sig meget over noget, de har valgt og investeret i, er bedre end mange, der glæder sig lidt og glemmer?

– Jeg ved det ikke, svarede hun.

Iøvrigt talte de meget lidt om malerkunst og kunst i det hele taget. Han viste hende undertiden noget, han havde lavet, men var utrolig sårbar overfor den mindste indvending.

– Jeg kan godt lide, at du aldrig snakker kunst, havde han engang sagt. – Alle andre gør, de føler sig måske forpligtet, eller mener, det må interessere mig hele døgnet. Og andres meninger keder mig for tit.

Hun var glad for det. Vidste for lidt, oplevede kunst følelsesmæssigt, ikke intellektuelt.

Oplevede det hun senere kaldte for orgasmens tyranni. Vidste, det betød så meget for mange mænd, havde læst om det, og diskuteret det med en sexolog, da det for alvor gik op for hende, at netop det problem kunne blive afgørende for deres forhold.

– Hvad sker der med den mand, der seksuelt kun tror på orgasme, når det bliver sværere og sværere for ham at få det? havde hun spurgt.

– Han vælger onani, alene, også med sit nederlag, var svaret.

– Kan man da ikke hjælpe ham? havde hun spurgt.

Sexologen trak på skulderen: – Du spørger så generelt, så jeg må svare generelt: Selvfølgelig kan man da hjælpe, men det afhænger i høj grad af forholdets karakter – og især af manden.

– Er det lettere at få orgasme med en pige, man næppe kender, og i hvert fald ikke er følelsesmæssigt engageret i?

– For nogen, ja.

Hun tænkte er det mig eller ikke mig?

Nogle onsdage kunne simpelthen deles i gode og dårlige, eftersom han fik udløsning eller ikke.

Påtog sig i den første tid skylden, men opdagede, at også det var sårende. Lod derefter, som om hun troede, han havde fået udløsning, eller slet ikke registrerede noget.

Forstod, men kun forstandsmæssigt, at hvis man ikke kan glæde sig over hinandens kroppe, hænder, berøring, kys, hvis ikke man giver sig tid til nydelse, men kun stiler mod selve udløsningen, er skuffelsen – og især den manglende afspænding – netop hos den virile mand med det store seksuelle behov, så stort et problem, at det nærmer sig det tragiske.

Blev også bange for, at hun netop med sin angst for, at han ikke skulle få orgasme, var medvirkende til, at han ikke kunne.

Havde lyst til at tage ham ind til sig, kæle, kysse hans svedige krop, hjælpe ham. Hviske: lad os vente lidt, vi kan lidt senere. Men oplevede ham aggressiv, ikke specielt rettet mod hende, for hun eksisterede ofte slet ikke, når det skete. Vidste – hvad han også gjorde – at skylden ofte var spiritus.

Var bange for selv at få orgasme, når hun ikke var sikker på, han fik det.

Orgasmens tyranni var et problem for dem begge. Fordi han ikke ville – eller kunne – tale om det.

I det hele taget, var der så lidt af det, hun anså for væsentligt, de kunne tale om.

Og hun var smerteligt forelsket i ham.

Skyggen

*På mit leje om natten søgte jeg ham,
som min sjæl har kær,
jeg søgte, men fandt ham ikke.*

Højsangen 5, 6

Efter en af de mislykkede onsdage ringede hun til Lene, snakkede lidt og græd. Lene tog ind til hende samme aften for at trøste.

– Det er ikke, fordi jeg tror, jeg kan hjælpe dig noget særligt, for endnu har jeg ikke forstået, hvad det er hos ham, der gør dig så forelsket. Jeg synes, han er så brutal mod dig.

– Ved man altid det? Har du altid kunnet forklare, hvad det er hos en mand, du er faldet for? Især hvis det sker på den måde, som det er sket for mig.

– Nej. Men alligevel.

– I forholdet til ham dækker den mest banale sætning i sproget bedst. Jeg faldt for ham med et brag. Virkelig faldt, så jeg kryber. Og faldt med et brag i et nu, et sekund. For at fortsætte i det banale: som et lyn, der slog ned.

Det eneste mærkelige er, at jeg i årevis har vidst, at det ville ske, hvis jeg tilfældigvis traf ham. Så man kan sige, at jeg gik direkte ind i lynet.

– Le, det er ikke det, at du forelskede dig i ham den aften. Det kunne jeg selv have gjort. Han var da fantastisk charmerende. Det jeg ikke forstår er, hvad der fastholder dig.

Du er for klog og for følsom til at nøjes med, at han bruger dig som krop. Det er da ikke nok for dig.

– Nej, men når det lykkes, er han pragtfuld at gå i seng med. Men jeg ville nok også synes, det var dejligt de gange det ikke lykkes, hvis han reagerede på en anden måde.

– Jamen, det gør han jo ikke, Le. Tror du ikke, hvis vi skal være helt realistiske: Vi taler om to mennesker. Den Sten, der

66

er levende, for lidt interesseret i dig, så ligeglad, at han næsten ingen hensyn tager, men tramper på dig, for det gør han på de mennesker, han ikke regner med.

Og en anden Sten, som du har opfundet, bygget følelser og værdier ind i, og som du elsker. Men han eksisterer ikke. Han er kun fantasi.

– På en måde har du nok ret, svarede Le tøvende. Men jeg tror det ikke. Forklaringen er en anden.

– Hvilken?

– Ved du, jeg har lagt mærke til, at når jeg tænker på ham, på vore møder, er jeg holdt op med at tænke på ham som Sten, den han er i dag. Den hårde, ofte kolde og kyniske. Den arrogante.

Jeg tænker på ham *som skygge*. På den han har været. Ham aner jeg glimtvis, og det er ham, jeg elsker. Og så længe jeg ikke kan nå ham ved at vi snakker sammen, selvom det er dér, han afslører sig, i enkelte, spredte bemærkninger, sålænge må jeg håbe, at vore kroppe kan.

Han vil ikke snakke, næsten ikke, det er faktisk kun konversation, men det er nok ligeså meget min skyld, for jeg er så bange for at sige noget, bange for at blive fejet af, at mine forsøg på at sige noget, jeg synes er væsentligt for os, tit kommer til at lyde kunstigt.

Ved du, at sådan er han overfor mange. Det er taktik.

– Ja, men hvis bare han giver mig tid, bliver jeg nok mindre akavet, kommer om bag skyggen, når måske frem til den han også er.

Forstår du, det jeg ikke kan finde ud af er, om livet har handlet ilde med ham, eller han ilde med livet.

– Le, du tror ikke, det er Per Gynt med løget, vi taler om? Eller hvem siger, han ikke har valgt det, du kalder skygge, som livsform, fordi det passer ham bedst. Og som noget ingen skal rokke ved?

– Det ved jeg selvfølgelig ikke, svarede Le modløst, men jeg vil ikke, kan ikke tro det. Han virker så skrækkelig desillusioneret. Det må have nogle grunde, og måske kan jeg fjerne lidt af det.

– Le, du går i stykker, hvis du er så optimistisk. Prøv og tænk over, hvor meget du egentlig kender bag skyggen. Overvej, om det i det hele taget er nok. Og om du egentlig for alvor tror, du kan få noget af det frem.

– Det er jo det, jeg prøver, svarede Le.

– Du bør nok samtidig overveje, om han ikke har det bedst som han har det nu, men uden dig, fortsatte Lene.

– Jamen jeg kan ikke undvære ham. Ikke helt. Jeg forlanger ikke ret meget, bare han ikke smider mig ud. Det er det jeg er så bange for.

Jeg er faktisk villig til at gå ind på en masse betingelser for at være sammen med ham en gang om ugen, men han opstiller ikke engang nogle. Det værste er, at han virker, som om han er ligeglad.

Som om han ikke ville opdage, hvis jeg holdt op med at komme, holdt op med at ringe. Det er slemt at føle sig værdiløs og ligegyldig.

– Jeg synes ærlig talt, du er et nummer for nøjsom, sagde Lene.

– Ja, jeg kan tude over ham, bande over ham og over mig selv, svarede Le, og over, at jeg ikke er stærkere, men det er jeg ikke. Jeg er vildt forelsket, og det gør ondt. Og det må det godt. Bare han ikke siger:

– Le? hvem er egentlig det? – og sletter mig af listen.

– Hvem ser du egentlig bag skyggen? spurgte Lene.

– En gang imellem en fortvivlet, ensom mand, der hele tiden skal bekræfte sit eget værd, ønsker at blive feteret, angst for, at noget, der engang har været, ikke er der mere.

Selvom så meget virker som facon, kan jeg ind imellem se om ikke alt, så dog resterne af noget stort, noget gigantisk.

Du, jeg har tit fornemmelsen af, at der bag hans tilsyneladende overfladiskhed er en dybde, som han ikke kan få frem.

– Eller ikke *vil* have frem. Den afglans, du i dag ser, tror du, du kan få den til at skinne igen?

– Det ved jeg ikke. Men jeg elsker både den han er, og den jeg tror, han inderst inde er.

– Det er ham, i dag og ikke noget andet, fastslog Lene.

Men Le svarede: – Det, der egentlig virker værst er, at han er så totalt desillusioneret. Han sagde engang, at hvis man havde tyvetusinde forventninger, og de nitten gik i opfyldelse, skulle man være tilfreds. Jo færre forventninger, jo færre skuffelser.

– Det mener han jo ikke et ord af, indskød Lene.

– Og da jeg sagde, at det var under én promille, svarede han: – Ja, hvis du venter mere end det, er du bare naiv.

Indimellem er han vittig, varm, fabulerende. Men så snart han har skabt en stemning, en god situation, er det som om han bliver bange og ødelægger det. Det er der da grunde til. Negative oplevelser eller skuffelser.

– Og det tror du, du kan reparere på? spurgte Lene.

– Måske ikke, men hvis han gav mig lov, så bare lidt. Engang imellem tror jeg, han elsker om ikke mig, så noget hos mig. Hvis han turde. Men han vil ikke give sig selv lov, for så tror han, at han ville blive bundet.

– Det ville han da også. Man er da bundet, når man elsker. Se på dig selv, du har aldrig følt dig så bundet som nu, vel?

– Nej, svarede Le, – men jeg ville da aldrig binde ham på det ydre plan. Aldrig blande mig i hans måde at leve på.

– Hvis du var en anden, havde du måske en chance hos ham. Men jeg tror, han vil forme mennesker, så de passer til ham, han ønsker ingen diskussion, men én der synes, at det han gør, siger, mener er det rigtige. Det er problemløst, og det er det han vil. Men hvorfor tror du egentlig, han elsker om ikke andet så en lille del af dig?

– Det er også nok kun indbildning, du, og et tåbeligt håb. Men hans aggressioner? Ville man blive så aggressiv, hvis ikke det rørte noget?

– Ja, hvorfor ikke? Du irriterer ham måske bare.

– Jeg spurgte ham engang, jeg forstår ikke, hvordan jeg turde, og jeg fik heller ikke noget svar. Men det er noget af det, jeg mere end alt andet gerne vil vide om ham. Jeg spurgte, om han nogensinde havde grædt. Og hvis han havde, da over hvad.

Han var iskold i stemmen, da han sagde: – Du spørger så meget, for meget, du vil hele tiden vide noget om mig, hvorfor?

– Lene, jeg svarede, at jeg egentlig spurgte meget lidt, men at jeg spurgte, fordi jeg var interesseret i ham. Turde ikke sige forelsket i ham.

Han svarede – lad være med den interesse. Det kommer der ikke noget godt ud af.

Senere svingede han igen. Og vi havde det dejligt.

– I sengen, ja, kommenterede Lene. Det forpligter ikke. Men at du prøver at nærme dig noget så fundamentalt afgørende for en type som ham, vil han aldrig tillade.

Gråd er for ham det samme som fiasko, og han vil have

succes, ikke fiasko.

– Jamen hvorfor?

– Det ved du faktisk godt, Du tror da ikke, at Sten – eller skyggen – blotter en så dyb menneskelig reaktion. Det kunne jo rokke ved det maskuline billede han har om sig selv. Og som du skal have.

Det mærkelige er nok, sluttede Lene samtalen, – at jeg til dels forstår din forelskelse i ham. Vi forelsker os jo også tit i den samme type. Men dette her havde jeg ikke nerver til.

Det ville jeg opgive som håbløst og bakke ud af. For min egen skyld.

For ikke at blive ødelagt af det. Jeg ville have gjort det forlængst.

Og jeg synes, du skal gøre det nu. Det er håbløst, og inderst inde ved du det. Det kan ødelægge for meget for dig. Og *af* dig.

Le smilede trist: – Jeg vil håbe lidt endnu. Bare han ikke smider mig ud.

„Vor afskedsaften"

Livet regner ikke med drømme

Hun ringede om mandagen for at aftale.
– På onsdag ved firetiden ja. Og det bliver så vores afskeds-
aften, det har du vel forstået?
– Forstået? Ud fra hvad? Nej, det kunne hun ikke forstå.
– Jo, man skal slutte, mens legen er god.
Hvis jeg bruger min hjerne, tænkte hun fortvivlet, så tager
jeg netop denne sætnings himmelråbende banalitet som udtryk
for, at det er bedst, det der nu sker. Hvorfor skal den mand
da egentlig have lov til at trampe rundt på dine følelser og få
dig til at suspendere en så stor del af din egenart og person-
lighed.
Hvem er han, der tør tillade sig de grovheder, du finder dig
i? Og det kalder han leg.
Hvis du bruger dit intellekt, tænkte hun, men det har jeg
forlængst sat ud af drift, for det er ikke forstand men følelser,
der er tale om.
Det er ikke en maler, lidt på retur, noget fordrukken, lidt
for gammel til dig, men det er den mand, jeg er forelsket i,
den mand, jeg elsker.
Hun ville ikke trøstes hverken af Morten eller Lene, vidste,
de ville have ondt af hende, men hver for sig mene det var
bedst sådan, havde hver for sig sagt, at noget var håbløst,
noget var ikke til at ændre, og under dette „noget" henreg-
nede de begge Sten Runge.

Hun blev bedt om at gå med til et møde på seminariet om
onsdagen, en vigtig principiel debat. Sagde ja, ringede til Sten

71

at hun nok blev lidt forsinket.

Ville på trods af sin ansvarsbevidsthed overfor sit arbejde ellers have fundet en undskyldning, der var så meget, hun ville resignere på for hans skyld.

Men tænkte pludselig: Når legen med Le slutter, så er der Marianne og arbejdet tilbage.

Tog derud direkte fra seminariet, ingen feminin omklædning, røde fløjlsbukser, rød bluse i samme farve, kvindetegn om halsen, flade sko, næsten ingen make-up, ingen duft af „Nonchalance“ – prøv *at være* det i stedet, tænkte hun i bilen derud, og besluttede pludselig: ingen stesolid.

Tænkte pludselig: forringer det mine chancer? Næppe. Han bemærker det ikke, beslutningen er taget, og han ændrer ikke beslutninger.

Vil jeg bare provokere, nej men være mig selv, som jeg føler i dag.

Han tog hendes jakke med „atomkraft – nej tak“-mærket og kaldte hende en nisse.

Hun frabad sig smilende sammenligningen, da hun var sikker på, at de juletraditioner, han satte højt, nok var de samme, som gav hende kvalme.

Mødet havde trukket ud, så hun var der først ved 6-tiden. Først skulle de høre en masse nyheder i radioen, han havde lavet lidt mad til dem.

Halvotte tændte han fjernsynet, havde lavet kaffe, hun sad rolig i hans sofa og røg. Hvis han tæller skod, som jeg ofte tæller pernod, vil han opdage, at jeg er mindre rolig, end jeg virker. Tømte derfor med jævne mellemrum askebægeret.

De hørte de samme nyheder, nu med billeder i TV.

Kl. otte var der en gammel dansk film. – Hvis han vil se den, går jeg; men han slukkede efter præsentationen.

Der skete noget ejendommeligt den aften, der gjorde det hele endnu vanskeligere for Le. De snakkede længere og bedre og mere afslappet end ellers.

Le frøs lidt og bad om at måtte låne skjorten, som han hentede til hende. Ydre ting bliver nemt symboler, når der ikke er andet at bygge på.

Hun krøb sammen i sofaen, han havde købt danskvand til hende, og i et anfald af fortvivlet optimisme nåede hun at tænke, at han var måske fuld, han har måske glemt, hvad han sagde, da han løftede sit glas mod hende og smilende sagde:

72

– Ja, det er så vores afskedsaften.

– Ja, sagde hun, – det siger du'jo. Vil du give en forklaring?

– Nej, sagde han og tog en slurk hvidvin. Det er en af vore gode aftener, tænkte hun sarkastisk-fortvivlet.

– Vil det sige, sagde hun undrende, – at du afslutter dette forhold, uden at fortælle mig hvorfor?

– Ja, sagde han igen smilende.

– Jeg har engang skrevet et lille essay om forkastelsens problem set fra kvindens side, sagde hun, – gider du læse det?

Han nikkede, hun rakte ham det, – hent lige en flaske hvidvin til mig imens.

Han læste det igennem, gav hende det tilbage uden kommentarer.

Senere, da de lå i hans seng, sagde han alligevel nogle løsrevne ting:

Lovligt sikker og intellektuel efter hans smag. Gjorde al ting så indviklet, var ikke fri, bundet af barn og arbejde.

Han ville have en pige, som han kunne sige til: I morgen tager vi til Langeland; (hvor han havde sommerhus), eller: Bestil lige et par billetter til London.

Le spurgte, hvor i alverden han ville finde en sådan pige, både „fri" og uden arbejdsforpligtelse og med lyst til den tilværelse. Nå jo, det kunne selvfølgelig være en anden kunstner, men kunne han finde hende?

Han sagde, han havde fundet hende. Hun ventede i Rom. Var ovenikøbet uproblematisk, problemfri. Måske tog han derned i morgen – måske ikke.

Le sagde tryglende, hvis nu, hvis nu ikke, lad mig da være anden eller tredie stand-in.

Farvel kvindesag, tænkte hun, måske vil jeg en dag foragte mig selv for denne måde at tilbyde mig på, men jeg elsker ham, jeg kan ikke undvære ham, ikke helt, der må gerne være andre, men han må ikke forsvinde helt ud af mit liv.

Sagde, – så ufri er jeg da heller ikke, Marianne har jo aldrig været en belastning, og jeg har da skoleferierne. Det er jo ikke ægteskab, jeg beder om, det er ikke det, jeg vil, kun dig en gang imellem, når du vil.

– Tænk, sagde han, hvis det nu er ægteskab jeg vil. Så kan du godt se det umulige, ikke?

Sagde: – min beslutning er definitiv, men vi er da venner. Og du må gerne ringe til mig. Og iøvrigt er du velkommen til

73

at besøge mig i mit sommerhus på Langeland. Skal vi sige den 26. juni til frokost kl. 14?

Det lyder som sen frokost, tænkte hun, mens han lå og snakkede om, at så skulle hun blive om natten, og de skulle elske som aldrig før.

Hun registrerede, at han havde drukket meget, hun vidste ikke, hvormeget han havde ment af det, han havde sagt.

Han kunne ikke få orgasme, prøvede flere gange, opgav og lagde sig til at sove med hende presset ind mod sig.

– Berøringsangst, havde hun tidligere tænkt, dette var det modsatte. Hun følte, bare hun rørte sig lidt, hvordan han selv i søvne sørgede for, at hele hendes krop rørte hans.

Aldrig har vi ligget så dejligt, aldrig har din svedige krop været så skøn. Aldrig har jeg ligget så godt i dine arme, aldrig har jeg elsket dig så højt.

De lå på den måde i flere timer, han sov, hun tænkte i stigende desperation, jeg ligger bare her og piner mig selv, jeg må gå, han skal ikke se mig bryde sammen.

Hun lirkede sig langsomt og stille ud af hans favntag og klædte sig på. Han vågnede, mumlede at manglen af hendes krop havde vækket ham.

– Sten, sagde hun og ruskede i ham, – ved du egentlig, hvor tåbelig du er ved at afslå det alvorligt mente, det alvorligt følte, det vi begge kunne have bygget noget væsentligt på, det der kunne have givet os begge varme, glæde, kærlighed.

Du vælger det banale, fordi du er så helvedes bange for noget, der bare minder om forpligtelse, følelse, engagement.

Det er ikke meget, jeg kræver, bare lidt af dig, engang imellem. Ved du egentlig, at jeg til gengæld tilbyder dig meget af mig selv, følelser, kærlighed, min krop, det hele på dine betingelser.

Opdagede, hun talte til en sovende mand.

Havde lyst til at kysse ham, men syntes pludselig, at hun havde pint sig selv tilstrækkeligt.

Du fik ikke orgasme, tænkte hun, mens hun lagde dynen om ham, det er nok hovedårsagen. Måske får du det lettere hos piger, der ikke er så alvorlige som jeg.

Men hvis vi kunne have talt om det, kunne vi måske have løst det. Men du ville ikke. Det gik din ære for nær. Ære, dette latterlige begreb.

– Hårde, brutale, selvhævdende egocentriker, jeg elsker dig.

74

Jeg tror stadig, det kunne have været dejligt og givende for os begge.

Lukkede sig ud af hans lejlighed.

Det var midt i marts og koldt. Vejene var glatte. Hun måtte køre langsomt og forsigtigt.

– Du har jo oplevet at blive forkastet og vraget flere gange før, tænkte hun – men aldrig så direkte, så voldsomt, på så tåbelige præmisser.

Der var ingen trøst at finde i alle de ord, hun sagde til sig selv i bilen hjem.

Kun tanken om Marianne.

Tænk, hvis vi en skønne dag har nok i vore børn. Så er ikke kun kærligheden, men også mændene alvorligt konfliktramte.

Måtte i den kommende tid ustandseligt minde sig selv om, at hun nu igen havde tid om onsdagen.

Mænd – elskere

Når man ikke længere kan handle spontant,
men må lægge bånd på sig selv og danse på æg,
så er det kun et tidsspørgsmål, hvornår
man ligger og plasker i en æggekage.

Suzanne Brøgger

Den sidste aften hos Sten havde fremkaldt en depression, som hun prøvede at holde på afstand med det eneste middel hun virkelig mente hjalp: arbejde.

Samtidig oplevede hun en ny og ejendommelig følelse hos sig selv, en viljebeslutning så stærk som hun aldrig havde haft i forhold til nogen anden mand: DETTE VILLE HUN IKKE AKCEPTERE.

Hun ville have en forklaring, hun ville ikke opgive ham på disse betingelser, ville ikke slippe ham; hun indstillede sig på at skulle vente, men dette forhold ville hun IKKE slutte uden forklaring.

Hun vidste, at hendes beslutning gik på tværs af al logik, fordi hun netop hele tiden inderst inde havde vidst, at hun ville blive smidt ud uden nogen forklaring.

– Jeg vælger det ulogiske, tænkte hun, jeg vil.

– Og så håbet, dette forbandede håb, der holder noget i live, som ikke er der, men som jeg *vil* skal være der.

Hverdagene var tålelige. Men week-end'en.

Hun begyndte at læse Doris Lessings dagbøger. Blev i sengen hele lørdag/søndag, hyggede sig med Marianne ind imellem, men læste ellers som en vanvittig. 700 sider nærmest ud i et stræk.

Hun følte sig besat af bøgerne, da hun sent søndag nat var færdig. Vidste, at hun måtte læse dem igen, alt for meget væsentligt var gået tabt ved den hurtige gennemlæsning.

Men hun havde fundet en forfatter, der foruden alt andet, der berørte hende stærkt, også var i stand til at formulere

76

angst og depression, det hun ellers kaldte det ubeskrivelige, det ordløse.

Dagene gik med arbejde, alt for grundig forberedelse, rettede stile som ikke hastede.

Om nætterne var hun søvnløs. Begyndte forfra med Doris Lessings Den gyldne bog, systematiserede bøgerne: følelser, mænd, lykke, usikkerhed, forskel i mænds og kvinders psyke og reaktionsmønster, ulykke, arbejde, angst og depression.

– Jeg har lært meget af dette, meget jeg kan bruge, tænkte hun, det væsentligste er måske, at usikkerhed er den eneste sikre livsform.

Onsdag var uoverskuelig, og hun blev længere end nødvendigt på seminariet, tog nervepiller, havde i et par dage ikke taget antabus, købte vin på vejen hjem.

Hentede Marianne i børnehave, hyggede sig med hende, lavede hendes livret, kunne ikke selv spise noget.

Da Marianne ville i seng, foreslog hun, at Marianne sov hos hende, så kunne de ligge og sludre. Marianne nød det, men så en gang imellem undersøgende på Le, som anede hun, der var noget i vejen.

Da Marianne var faldet i søvn, tog Le et par sovepiller, som ikke hjalp. Hun drak resten af vinen, græd ved tanken om Sten, den eneste trøst var Mariannes lille varme, tungtsovende krop nær hendes.

– Marianne, hviskede hun, – jeg vil så nødig, at du skal lide de samme nederlag som jeg. Måske opdrager jeg dig forkert? Men jeg vil også, at du skal være et følsomt, forstående og indfølende menneske. Og så skal du være heldig for ikke at lide.

Du skal bare blive stærkere end jeg til at bære det.

For jeg ved ikke, om det er mit, eller de andres. Jeg ved bare, at det gør utrolig ondt at blive forkastet.

Marianne spurgte den anden onsdag om, hvorfor hun ikke skulle over til Annike.

– Fordi jeg ikke mere skal ud og besøge den mand, jeg fortalte dig om.

– Han kunne altså ikke lide børn, konstaterede Marianne.

– Nej, svarede Le, – det var nok mere mig, han ikke var interesseret i.

Marianne kiggede længe undersøgende på hende, utroligt eller umuligt, mumlede hun. Le blev pludselig bange for, at hun havde opdraget hende for voksent.

– Er du ked af det? Ja, det tror jeg du er, sagde Marianne.

– Men jeg elsker dig. Det gør jeg altid, selv når jeg bliver vred på dig. Men det er ikke rigtig nok, vel?

Le prøvede at forklare Marianne, at der var to slags kærlighed, at hun ikke elskede Marianne mindre, fordi hun elskede et andet menneske, og heller ikke, når hun blev ked af det, fordi det andet menneske ikke holdt af hende.

– Mor, forsøgte Marianne sig trøstende, mens hun tog om Le, – jeg tror hverken han var sjov eller rar. Når han ikke kan se, hvor dejlig du er, så kan jeg slet ikke lide ham. Og når han gør dig ked af det, synes jeg bare han er dum.

– Sådan kan man ikke sige, forklarede Le, – hverken han eller jeg bestemmer over vore følelser. Mine var bare stærkere.

– Tror du ikke, han tænker på dig lige nu, spurgte Marianne.

– Nej, smilede Le, – det tror jeg ikke.

– Jamen kan man da bare sådan pludselig glemme? spurgte Marianne undrende, – det forstår jeg ikke. Jeg kunne da aldrig glemme dig.

– Det er noget andet. Og det er ikke så meget spørgsmålet om at glemme, som netop ikke være interesseret i. Ikke savne. Og det kan man ikke bebrejde nogen. Kun være ked af.

– Kunne vi ikke lave noget sammen, så du blev mindre ked af det? Eller vil du hellere være ked af det alene, for så kunne jeg gå over og besøge Annike.

– Jeg synes, det er en god ide, for jeg tror egentlig, jeg gerne vil være ked af det alene, svarede Le.

– Så går jeg, sagde Marianne, – men du skal bare sige, når du tror, jeg kan trøste dig lidt.

– Jamen, Marianne, sagde Le og knugede hende ind til sig.
– Du ved da, at du altid trøster. Hvad skulle jeg dog gøre uden dig.

Da Marianne var gået, fortrød Le det pludselig. På den anden side ville hun skåne hende mest muligt, især da hun var bange for depressionen. Det var indtil nu lykkedes hende at skjule den og angstanfald for hende.

– Jeg er hårdere angrebet end tidligere, tænkte hun, – det hænger nok sammen med, at forkastelsen kom for uventet, jeg fik ikke en chance for at forudse det. Med mindre jeg har vidst det hele tiden.

Det må være helt klart, før jeg begynder at analysere vort

forhold, at det var mig, der tog initiativet, det var mig, der ringede, mig der ville det.

I begyndelsen af deres forhold sad hun tit og håbede og ventede på, at han ville ringe. Indtil det gik op for hende, at det ville han aldrig gøre.

Var det for at tvinge hende? Eller fordi han var ligeglad? Eller for at få hende til at holde op?

Måske glemte han hende, når hun ikke var der? Hun var bange for, at det sidste var en del af sandheden.

Hun tænkte på, om det var hende, der provokerede hans drikkeri, ville han i andre situationer, sammen med andre mennesker, drikke mindre? Og hvis det var tilfældet, drak han så af kedsomhed over, at hun var der, eller virkede hun provokerende på ham?

Han havde aldrig sagt noget om dem, om deres forhold, aldrig foregøglet dem noget. Det havde hun heller ikke ønsket. Det var ikke der, problemet lå.

Men han sagde aldrig noget, aldrig noget følelsesmæssigt. På den anden side, fordi man var kunstner, behøvede man ikke at være taler, fordi man var taler, behøvede man ikke nødvendigvis at kunne tale personligt. Hun tænkte, – har vi egentlig nogensinde talt sammen? Jeg har prøvet nogle gange, men blev jeg ikke altid stoppet?

Spørgsmålet er vel netop, om der er tale om sproglig uformåenhed på det følelsesmæssige område, eller om det fra hans side ikke så meget var problemet, ikke at kunne tale om og vise følelser, som netop ikke at ønske, ikke at ville.

Jeg har måske i lang tid været en belastning for ham, han har ikke vidst, hvordan han skulle trække sig ud af det, indtil han valgte at være konsekvent.

Hvad ved jeg? Jeg fik intet at vide. Det jeg tror, vil jeg nok aldrig få bekræftet. For jeg ved ikke, om det var ham eller pernod. Eller noget helt andet.

Hun tænkte, at det egentlig var mærkeligt, at hun, der altid var så fintregistrerende, aldrig vidste, om han virkelig havde lyst til at se hende eller ikke.

Eller var det, fordi hun ikke ville mærke det, ikke vide det?

Fordi hun ikke vidste, om det var hans måde at være på, hans natur, eller om han opførte sig på en særlig måde overfor hende.

Tænkte: alt for tit trak jeg tiden ud, alt for tit gik jeg vist

79

for sent. Fordi jeg så brændende ønskede, at han, og ikke jeg, skulle foreslå, at vi skulle ses igen.

Og når han fortalte, at han havde været sammen med andre kvinder, var det så et forsøg på at gøre mig jaloux? Noget der ikke lykkedes, fordi han selvfølgelig da kunne omgås de kvinder, han ville. Bare jeg også havde betydning.

Eller var det et andet forsøg på at få mig til at opgive?

Tænkte videre på, om det hun nu oplevede, havde relation til de andre mænd, hun havde kendt, været forelsket i.

Hun følte pludselig, at det var vigtigt for hende at finde ud af, hvorfor hendes forhold altid gik i stykker.

Hvad var det hos hende, hvad var det hos dem, der gjorde, at det aldrig blev lykke. At lykken i hvert fald varede så kort.

Stillede hun for store krav?

Havde *de* forventninger, hun ikke indfriede.

Hvorfor skræmte hun dem væk, hvis det var det hun gjorde?

Er jeg egentlig forandret, spurgte hun sig selv, er der så stor forskel på den 25-årige og den snart 30-årige Le?

Det må der på en eller anden måde være, svarede hun sig selv, på andre områder føler jeg det. Føler mig undertiden fremmed overfor det menneske, der var mig for 5 år siden.

Tænkte, jeg har udviklet mig på en del områder, gjort mig en del klart, som jeg ikke overvejede tidligere, er blevet meget mere bevidst om mange ting.

Men i forhold til mænd? Jeg har kendt en del forskellige mænd, siden jeg blev alene, men er de mænd så forskellige, eller har de lighedstræk?

Så mange, måske, at man ikke skal undre sig over gentagelsen: den samme pige forelsker sig i den samme type mænd, og resultatet er altid det samme: forkastelsen.

Hun tænkte meget over alt dette de følgende dage, og da Marianne denne week-end var blevet afhentet af Jacob, tog hun sine dagbøger frem og begyndte at blade i dem.

Le, 25 år, lige blevet skilt, nød ensomheden sammen med Marianne, selvom visse praktiske forhold var besværlige.

Så begyndte navnet Bent at dukke op.

Jeg vil prøve, tænkte hun, ud fra sporadiske dagbogsnotater og erindringen, at finde en kort karakteristik af hver enkelt.

Jeg har været – eller er – forelsket i dem. Jeg må prøve at finde ud af, hvorfor.

Jeg må også finde ud af, hvorfor forholdet gik i stykker.

80

Det må være væsentligt for mig.

Vigtigt må det også være at finde ud af, hvorfor de mere eller mindre engagerede i kortere eller længere tid var forelskede i mig. Hvis de da har været det. Hvad ved jeg egentlig?

Måske var jeg bare i deres øjne et „let bytte", fordi jeg ikke vil flirte, spille kostbar, lege den gyselige katten-efter-musen-leg, som jeg finder direkte afskyelig og krænkende.

Måske virker jeg som et let bytte, der blot ikke er til at fortære.

Men det er måske at nedvurdere manden for meget. Det er ikke det, jeg vil.

For Stens vedkommende må jeg, hvis jeg skal stille mig realistisk til vort forhold, konstatere, at han nok ikke har været rigtig forelsket i mig. Jeg havde håbet, han ville blive det. Man han gav mig ingen chance, ingen tid.

Jeg kan ikke bebrejde ham noget. Det var mig, der ville det. Mig der hele tiden tog initiativet.

I det hele taget vil jeg sikkert ende denne analyse uden bebrejdelse. Ingen kan gøre for noget. Kun fattigdommen vil være synlig. Deres eller min. Og flugten.

Det ser faktisk ud, som om jeg er systematiker: En mand for hvert år af mit liv, siden jeg blev skilt.

Ikke at forholdet hver gang varede et år. Men for næsten hver af dem gælder, at det har taget det meste af et år at komme over det.

Måske vil de fleste ikke kunne genkende sig selv ud fra min beskrivelse. Men det drejer sig jo også kun om *min* opfattelse af dem.

Når jeg siger, det tager et år at overvinde, er det heller ikke sandt. Der er en del, man aldrig glemmer, aldrig får overstået eller forarbejdet.

Men det er måske det, der udvikler én.

Min konklusion skulle jo gerne handle om, hvad jeg har lært, hvilke erfaringer – helst brugbare – jeg kan drage.

Af ydre karakteristiske træk bemærkede hun, at de alle var ældre end hun.

Faderkompleks?

De var så godt som alle akademikere.

Snobbet? Eller måske er det dem, jeg træffer. Eller dem jeg taler bedst med.

Og forskellen på dem og hende var ikke så meget uddannelsen, eller dette at være optaget af, engageret i sit arbejde. Men de var alle indstillet på at gøre karriere, få succes. Selvom nogle af dem havde indset, det havde en temmelig høj pris. Bent var gift. Hun havde truffet ham kort efter at Jacob var flyttet.

Hun havde – efter at have kendt ham nogen tid – haft en fornemmelse af, at hun direkte eller indirekte blev brugt i et magtspil mellem to ægtefæller, der formåede at skabe et helt privat helvede for hinanden.

Da forholdet til Bent var gået i stykker, havde hun lovet sig selv aldrig igen at forelske sig i en gift mand. Det havde hun ikke holdt.

Jørn, som hun traf 3 år senere, var også gift. Og til overmål kollega med hende en periode.

Hun havde udvidet sit løfte til sig selv: aldrig en gift mand og aldrig en kollega, du risikerer at skulle omgås dagligt.

Andreas havde været en fristelse, men det var blevet til venskabet med Lene i stedet.

Bent. Gift. Irriteret på hendes barn. Irriteret, når hun skulle bruge tid på det, mens han var der.

Iøvrigt også irriteret på hendes arbejde. Han gad ikke høre om det. Det var, som om intet måtte eksistere, der på en eller anden måde havde ydre relation til hende.

Han ønskede hende som en ø, man kom til, når man skulle slappe af. Han formulerede det ikke sådan. Det blev bare til det, han ønskede.

Hendes behov, hendes eventuelle ønsker eksisterede ikke. Han spurgte ikke, registrerede ikke.

Og hun føjede sig. Forstod, både instinktiv og ud fra det, han fortalte om sit miserable ægteskab, at dette skulle være helt anderledes. Det måtte ikke ligne, ikke på noget punkt minde om.

Det var faktisk en besværlig tid.

„Drømmepigen" kaldte hun ironisk sig selv, og havde tit sammen med ham en uvirkelighedsfornemmelse. Han tvang hende blot med sin tilstedeværelse og væremåde til at negligere verden omkring sig.

For så, når han var gået, at vågne op til hverdagens barske, realistiske krav, så som opvask, vasketøj og forberedelse til næste dag, der så måtte nås i de sidste nattetimer.

Hun vidste som regel ikke, hvornår han kom. Han kunne aldrig sige noget om det i forvejen.

Senere overvejede hun, om det var sandt. Eller om han ønskede det sådan. Men det forhindrede hende i at være forberedt. Eller, hvad der var lige så anstrengende: i perioder var hun altid forberedt. Det var ofte perioder, hvor han ikke kom.

Når han endelig dukkede op igen, var det undertiden med en strålende undskyldning, men som regel uden.

Han var karrieremenneske. Og usikker.

Brugte engelske ord og sætninger. Ret banalt. Danmark kaldte han our old country.

Sure, sagde han og nikkede betydningsfuldt. Believe me, sagde han, og fortsatte så på dansk en udredning af sit ægteskab, dårligt, men pengene holdt dem sammen.

Tit, når han havde fortalt detaljer om sit liv, sluttede han af med sætningen, but we can trust each other.

– I relation til hvad eller hvem, havde hun lyst til at spørge.

Han havde en ejendommelig vane: Når de gik i seng med hinanden, beholdt han sokkerne på. Ikke andet.

Hun havde aldrig turdet spørge hvorfor. Det ville sikkert have såret.

Hun spekulerede på, om det var almindelig kuldskærhed. Eller en ubevidst flugtmekanisme. Man skulle hurtigt kunne komme derfra. Hurtigt stikke i skoene.

Hun havde aldrig oplevet det hos andre mænd. Havde spurgt nogle veninder, der heller ikke havde. Rygtet ville vide, at en kendt skuespiller havde samme vane.

Det virkede komisk. I hvert fald senere. Når man tænkte på det. Uden følelser.

En nat, da de lå i sengen – han med sokker på – kaldte han hende „min drømmepige".

Da gjorde hun oprør.

Begyndte at tale om realiteter. Fortalte, hvordan hverdagen så ud, også for en drømmepige. Sagde, at hun var træt af at spille „Le alene i verden", kun til disposition for Bent. Træt af den rolle, han tvang hende til at spille.

– Tvang? – havde han svaret, – jeg troede du var sådan.

– Hvordan? havde hun pludselig råbt – uden jordforbindelse, uden de daglige krav, livet stiller både til dig og mig?

Hun spurgte: Er du klar over, at vi aldrig taler om noget,

andet end om dig. Dig og dine problemer. Aldrig noget, der optager os, aldrig noget vi har læst, aldrig noget, der kræver reflektion. Eller diskussion.

Han havde undskyldende sagt, at han vist led af sproglig uformåenhed. Kunne ikke leve op til hendes formuleringer. Havde ikke læst så meget som hun.

Hun havde svaret, at det han kaldte sproglig uformåenhed kaldte hun sproglig ugidelighed.

Han havde set på hende. Forurettet. Forundret. Såret.

Var stået ud af sengen, havde taget resten af tøjet på og var gået.

Hun havde ikke hørt fra ham siden.

Le, 26 år. Den morsomme Bo. Fortalte vittigheder og sjove oplevelser i timevis.

Alt, hvad hun sagde, gav han en komisk drejning. Alt skulle være skægt, og selv almindeligheder blev det, når han tog det under behandling, en forstærkning, en understregning i en sætning, som hun havde ment anderledes.

Aldrig-alvorlige Bo. Var humoren også en flugt? En følelsesmæssig fattigdom? Skjult under kaskader af sjove betragtninger?

Han kunne, med hende som eneste tilhører, skrue sin fabulerende, humoristiske evne op til det helt gigantiske, vanvittige. Der var sjov nok til at give en hel forsamling latterkrampe.

Men hun var ikke en forsamling. Hun var Le. Der lo og blev træt af, at alt var så ustyrlig morsomt.

Hun havde følelser, som ikke fik lov til at udfolde sig. Som hun mere og mere tav med. Fordi han i starten inddrog dem i sine humoristiske kaskader.

Følelser, der var alvorlige. Hun opdagede – selvom han aldrig sagde det – at dem ønskede han ikke.

Det kunne forpligte.

Og intet måtte forpligte.

Han var dejlig at gå i seng med. Da var han som regel tavs. Sagde han noget, var det aldrig direkte til hende. Han stykkede hende ud i dele, talte til dele af hende, som havde de egen eksistens. Hendes øjne, hendes smil, hendes bryst. Sagde – hvor er det dejligt. Aldrig – hvor er du dejlig.

Bo? spurgte hun en nat – hvorfor taler vi aldrig alvorligt?

Han så uforstående på hende. – Vi skal da have det sjovt. Det er da sjovt.

– Hvad er sjovt, spurgte hun, havde pludselig lyst til at provokere. Er det mig der er så sjov, eller dig? Ja, du måske, men gemmer du dig ikke bag denne tro på al tings ustyrlige morskab?

Han så forundret på hende. Lagde sig til at sove.

Pludselig tænkte hun: Det her kan jeg ikke holde ud.

Som regel var det rart at sove sammen med en elsker, vågne sammen. Men undertiden var det vigtigt at snakke. Og tiden var ofte kort.

Hun begyndte at skramle med ting. Bestilte telefonvækning. Sagde med lav stemme: – Jeg kan ikke holde det ud. Ingen reaktion. Sagde med lidt højere stemme: – Du gør mig desperat. Han rørte lidt på sig.

Så *råbte* hun til sidst. – Jeg kan ikke holde det ud!

Han vågnede.

– Hvad kan du ikke holde ud, mumlede han søvnigt og – mærkede hun – irriteret.

– Din måde at være på. Det at vi aldrig snakker sammen.

– Vi har da snakket sammen i timevis, forsvarede han sig.

– Nej, du har fortalt morsomheder i timevis. Du har gjort mig, dit arbejde, din hushjælp, vort forhold, det hele til én stor vittighed.

Men snakket sammen, været alvorlige sammen, det har vi aldrig.

Han så forundret på hende: – Hvad er det du vil?

Det lyder komisk, tænkte hun. Faktisk morsomt da hun sagde:

– Tages alvorligt en gang imellem.

Hun huskede denne situation, fordi hun faktisk havde leet. Og grædt. Og tænkt: om lidt siger jeg undskyld, og mener det. Og mener det ikke.

Brevet kom et par dage senere: „Af hensyn til dig tror jeg, vi skal afbryde forholdet."

Senere vidste hun, at når mænd brugte vendingen „af hensyn til dig", mente de – af hensyn til sig selv.

Forventning. Ventetid. Mærkeligt, men i forholdet til Per hang disse to begreber sammen.

Man kunne også noget kryptisk sige: bløde hænder og hårdhændet.

Videre kunne man sige, at der var tale om en række andre uoverensstemmelser i hans karakter: hensynsløshed, tilsyneladende skjult af varme og interesse.

Eller var hans indolente holdning, også godt gemt i situationen eller stemningen, det mest dominerende træk hos ham? En skjult, åndelig dovenskab.

I det hele taget var dovenskab i menneskelige relationer et andet dominerende træk. Han investerede ikke. Forholdet, i hvert fald til hende, skulle være omkostningsløst, psykisk gratis.

Han ligesom investerede al sin psykiske energi i sit arbejde, i sin karriere. Resten, forventede han, kom af sig selv, selvom han formulerede et engagement.

Men – køligt vurderet – gav han fanden i det, hvis det ikke kom.

Det skulle være let, for han gad ikke anstrænge sig.

Forventning. Som han havde skuffet. Han havde i meget høj grad vist sig at indeholde det modsatte af, hvad de begge troede.

Venten. Hun tænkte på alle de gange, hvor han på trods af en klar aftale, havde ladet hende vente. En øl, budt af en kollega, en giroblanket, han var kommet i tanke om skulle udfyldes, en sjus hos naboen, der også var alene.

Det, der i den sidste fase af deres forhold havde slået hende, var, at alt tilsyneladende blev prioriteret ens.

Hun havde engang gjort ham opmærksom på dette forhold. Han havde set forundret på hende, havde accepteret hendes kritik, vel også fordi det var lettere end at begynde en diskussion.

Havde beklaget. Sagde, at han blot ikke havde tænkt på det. På den måde. Sagde at han elskede hende, hun vidste jo, at han ikke kunne undvære hende.

Le, 27 år, Per 10 år ældre, karrieremæssigt langt forud for sin alder, menneskeligt uudviklet. Men der gik lang tid, før hun forstod det. Fattede hans åndelige indskrænkethed og menneskelige nærighed. Og vigtigst: at han egentlig var ligeglad.

Hun tænkte pludselig: Måske minder han lidt om Sten, men uden den udstråling, de spændinger og det artisteri, Sten indeholder.

Deres forhold var følelsesmæssigt og, som tiden gik, langsomt ebbet ud. Selvom hun udmærket kunne datere, hvornår forholdet var gået i stykker.

Det hang komisk nok sammen med to dåseøl.

Hun havde inviteret ham til middag. Han var kommet præcis, det gjorde han efter hendes kritik, hun tænkte på, hvor længe det ville holde. Vidste: så længe han huskede det.

Hun havde lavet lækker mad, som han roste og nød. De havde drukket vin til, temmelig meget, da han åbnede sin taske og tog dåseøllene frem. Om hun kendte det mærke, om hun ville smage?

Da hun havde svaret, at hun helst ikke ville blande og trak en flaske vin mere op, som de tog med ind i hendes soveværelse, var øllene blevet stående i køkkenet.

Næste morgen konstaterede hun, at han havde taget dem med, da han gik.

Hun havde siddet med kaffen og haft flere sideløbende tanker: Hvorfor hun fandt netop denne detalje så komisk, hvorfor illustrerede netop de 2 øl hans følelsesliv. Og hvorfor det og hans stolthed over sin præcision gav hende nøglen til helt andre karaktertræk hos ham. Hun så pludselig klart.

Men så også klart, at det hele kunne være en efterrationalisering: Hun havde vidst det, men ikke villet se det før nu: at på en eller anden måde havde hans indolente holdning og det, at han egentlig var så fantastisk ligeglad, tappet hende for følelser.

Det havde givet hende lidt dårlig samvittighed. Fordi han tilsyneladende var et venligt, kærligt, varmt menneske.

Uden reel værdiprioritering.

Han havde mærket hendes ændrede holdning. Havde nok følt sig analyseret.

Og hun var vist lettet, da han holdt op med at ringe.

Jørn, hvem er du egentlig? Hvad gemmer du bag den mystiskfascinerende skal, du skjuler dig i?

Le, 28 år gammel, havde stillet spørgsmålet.

Svaret havde gjort ham endnu mere spændende og mystisk:
– Ingenting.

Indtil det gik op for hende, at han talte sandt.

Men det var langt senere.

Hun tænkte, egentlig er det komiske værre end det, der giver sår og ar. Men også lettere. Det andet holder aldrig helt op.

Tænkte videre, det man senere ser som komik gør beklagelsesvis én selv komisk. Jørn vil man være tilbøjelig til at analysere ironisk. Til forskel fra Sten, som altid vil være ubearbejdet smerte.

Jørn Ingenting.

Temmelig meget ældre, ansat på samme seminarium, gift, altid bange, altid bekymret. Ærekær og ambitiøs.

Højt begavet. Og meget interesseret i filosofi. De havde ført mange filosofiske samtaler med hinanden. Han havde lært hende meget, nok mest om eksistentialisme, som var hans speciale. Hun havde lyttet, dybt interesseret. Han var en strålende pædagog, hans evne til at gøre et indviklet stof forståeligt, var stor.

Han blev heldigvis rektor på et andet seminarium nogle måneder efter, at hun gennem rygter blev klar over, at deres forhold var ophørt forlængst.

Tænkte på det mærkelige i, at hun først ikke ville akceptere rygterne som sande, på trods af, at det var den eneste sandsynlige forklaring på hans væremåde.

Hun havde hårdnakket ventet, i tro på hans forsikringer om hans varme følelser for hende, hans kærlighed, hans problemer i relation til konen, til børnene.

Han ville ringe. Han ringede næsten aldrig.

Hun huskede, at hendes periodevise had til telefonen var opstået i forbindelse med venten på de opringninger, han aldrig foretog.

En dag, da han bestemt havde lovet at ringe – de havde begge fri – havde hun, tiltagende desperat, siddet ved telefonen fra tidlig morgen. Hun vidste, hans kone kom hjem mellem 14 og 15, og lidt over kl. 13 kulminerede hendes desperation.

Hun ringede til ham. Han var længe om at svare:

– Jeg er i bad, sagde han med sin langsomme, lidt klagende stemme.

Hun undskyldte.

Sagde: – Du havde jo sagt, du ville ringe.

– Dagen er jo ikke gået endnu, klagede han. – Jeg ville have ringet om lidt.

Hun undskyldte igen, havde ingen ord.

88

– Har du det godt? lød det sørgmodigt.

– Ja, sagde hun og manglede igen ord.

– Jeg ringer en anden gang, jeg må tilbage til mit bad.

De lagde på.

Hun tænkte på hans ejendommelige vane med altid at se sig over skulderen, om nogen så dem, selv i et lukket rum, før han kyssede hende.

Hun tænkte på sin angst for at han skulle komme, når hun ikke var der, så han skulle gå forgæves.

Havde et skilt til døren, som hun gemte. Det skulle tjene som advarsel for hende, skulle minde hende om, hvor latterlig hun havde været.

De få gange han kom var nøje aftalt, tit sendte han afbud i sidste øjeblik under henvisning til „en nødvendig hensyntagen til min hustru" som han sagde.

På skiltet stod: kommer straks, gå bare ind, Le.

Latterligt, en periode, hvor hun kun turde styrte til den nærmeste købmand efter det nødvendigste. Skiltet var flittigt i brug, især de sidste 4 måneder, hvor hun ikke så ham.

Men skiltet havde ingen funktion, hverken dengang eller nu. Hun var ikke blevet klogere.

Ventetid var øjensynlig en del af hendes liv.

Hun huskede sidste gang hun havde været sammen med ham. Han havde ringet, var kommet, de havde siddet og snakket sammen.

Han havde set på sit ur, hun havde automatisk set på sit. Han ville i seng med hende. Hun havde ikke fået alt tøjet af, før han tog hende, fik orgasme, så på sit ur igen og sagde:

– Jeg får et helvede, hvis ikke jeg når hjem til frokost.

Det hele havde taget 3 minutter. Hun lå tilbage, kunne ikke beskrive sine følelser, tænkte på hvor skrækindjagende konen måtte være, siden han havde så stor respekt.

Fire måneder havde hun ventet.

– Helvede til frokost, tænkte hun tit om ham.

– Jeg har et helvede, fordi jeg savner dig.

Nogle intetanende kolleger havde fortalt hende, at han et halvt år tidligere var flyttet sammen med en tyve-årig seminarist. Det måtte øjesynlig være udsigten til et ny helvede, han havde snakket om sidste gang.

Le, 29 år, David. Det forhold havde hun selv troet mest på. Ironisk nok var det blevet det korteste forhold hun havde oplevet.

David, som hun omgående havde følt sig i så total overensstemmelse med. Ingen overvejelse om, hvordan hun skulle være. Ingen spekulation over udseende, påklædning, hvad han ville synes bedst om.

En sikker fornemmelse om, at han syntes om hende som hun var.

En kort tid i total lykke. Måske fordi hun havde følt, de på så mange områder var ens. Han var som hun på den ene side temmelig kategorisk, på den anden side ofte i tvivl om sine meningers holdbarhed, sine beslutningers rigtighed.

Hun elskede ham for hans usikkerhed.

Hun havde truffet ham til et selskab, var blevet fascineret af den lethed og humor, han udstrålede, samtidig med at hun så melankolikeren i ham.

De havde altid snakket godt sammen.

Han led ofte af depressioner, havde han fortalt hende, den første gang de var alene sammen. Hun forstod ham, betroede ham, at det også var hendes problem, men følte sig samtidig stærk, vidste at hun kunne hjælpe ham.

At gå i seng med ham var en vidunderlig oplevelse. Han havde et voldsomt behov for ømhed og hun et tilsvarende for at give. Når hun tænkte på ham, tænkte hun altid på noget låddent, blødt, vadmel.

Derfor var brevet fra ham et chok. Hun havde ingen forudanelse. Der stod ganske kort, at han havde for mange personlige problemer til at kunne engagere sig i en pige, der også havde problemer.

Mærkeligt nok – eller fordi hun ikke forstod ham – reagerede hun mest på, at han skrev „med venlig hilsen", det var som om han sammenfattede alle betroelser, al udlevering, alle varme følelser, alle forhåbninger til en lille venlighed. Hvorfor netop venlig? havde hun tænkt. Men hvad skulle han ellers skrive? Din, når han netop ikke ville være hendes. Kærlig hilsen, når han ikke ville hende noget kærligt, ikke elske?

Da hun i den sidste dagbog nåede frem til datoen for „Vor afskedsaften" – hvor hun havde noteret „stop mens legen er god", begyndte hun at græde.

Der var visse linjer, karaktertræk og lighedspunkter, som var alt for tydelige.

Le havde tidligere i nogle selvironiske, sarkastiske øjeblikke

90

haft planer om at ville sætte de mænd, hun havde elsket, og hvor forholdet havde været – eller var blevet – mislykket, på en slags formel.

På sine notater kunne hun se, at det nu var muligt at finde visse fællesnævnere. Sætte dem op på plus- og minussider, ligheder og eventuelle afvigelser fra hinanden.

Hun havde opdaget mange fællestræk, som kunne systematiseres. Men tjene til advarsel i fremtiden?

Man kunne ligefrem lave et skema og pointsystem. Og hvad skulle det så bruges til? Det var måske hende selv, der var noget fundamentalt i vejen med?

Og var det muligt at lade sig advare?

Hun var træt, faldt grædende i søvn.

Da hun vågnede nogle timer senere, overvejede hun trist, hvorfor hun var begyndt på dette projekt.

Hun havde jo inderst inde vidst, hvilken konklusion hun ville nå frem til, inden hun begyndte at analysere sine forhold.

Hun tænkte videre på det ejendommelige i, at de notater, hun havde gjort, kunne konkluderes på to, hinanden modstridende måder: en kynisk, som nogen måske ville kalde forstandsmæssig.

Og en følelsesmæssig, en søgen efter årsager, muligheder.

Men selvom man fandt årsagerne, – forsøgte hun at belære sig selv, – var det sjældent muligt at ændre ved forholdene. Hun vidste det. Men hun vidste også, at hun nægtede at akceptere dette faktum.

Det var nok en af de vigtigste årsager til hendes psykiske problemer.

– Le, spurgte hun sig selv, – nu da du er næsten 30 år og 5 år ældre efter erfaringerne i forbindelse med ægteskab og skilsmisse – og måske 5 år klogere – ville du forelske dig i de samme mænd igen?

Blev lidt chokeret, da hun opdagede, at hun kunne svare bekræftende uden særlig overvejelse. Der var måske dog en enkelt undtagelse.

Hun gik hen til skrivemaskinen, satte papir i og skrev

KONKLUSION I:
Luderen og moderen. Det er det, de foretrækker. Nogen foretrækker måske kun luderen, andre moderen. Men hvor er de,

der foretrækker det ligestillede menneske? Selvom de i enhver diskussion vil hævde, at det netop er det, de søger.

De er egentlig så rystende ligeglade med kvindens reaktion. Og de er ikke, i hvert fald ikke alvorligt, interesseret i kvindesag.

Hvornår giver de egentlig udtryk for følelser? Er de følelsesmæssigt forkrøblede? Hvor stammer det fra? Barndommen? Er det undskyldning nok? Men arbejdet da? Jamen, vi arbejder også. Er det ambitionerne, der ødelægger dem? Er det nødvendigt at være kynisk for at gøre karriere, få succes?

Hvorfor er det som regel mig/os, der skal tage initiativ? Hvorfor er det som regel mig/os, der er mest engageret? Har de lært, at det er en dyd at være ligeglad eller kostbar?

Hvor ofte virker de ikke overfladiske, egoistiske, egocentriske, distante. Men mest af alt bange. Det sidste vil de mest af alt benægte, som en usandsynlighed, en usandhed.

De skal være fulde, før de tør sige noget følelsesmæssigt. Og så ved man aldrig, om de mener det. De kan i hvert fald sjældent huske, hvad de har sagt. Eller de opfører sig, som om de har glemt det.

FØLELSESANGST
FØLELSESKULDE
FØLELSESKNUDER
KNUDEMÆND

På det andet ark skrev hun

KONKLUSION II:
Det er synd. Det er synd for mændene. Man får ondt af dem. Men det ønsker de bestemt ikke. De vil bestemt frabede sig medfølelse.

Tit får man det indtryk, at hvis man vil tage en mand følelsesmæssigt alvorligt, keder han sig. Eller bliver bange, usikker.

På alle andre områder kræver han næsten altid at blive taget meget alvorligt.

De kan jo ikke gøre for, at vi lægger mere i et forhold end de ønsker. Men hvad ønsker de egentlig?

De er så sårbare.

Mange af dem virker angste, trætte, på flugt. På flugt fra hvad? På flugt fra sig selv?

Hvorfor kan man, når det virkeligt gælder, ikke hjælpe, ikke nå hinanden?

Måske skyldes det, at jeg kender så meget til mine egne følelser og reaktioner. Og ikke nok til mændenes. De skjuler sig.

En psykiater har sagt, at mænd har lige så mange psykiske problemer som kvinder. Men de skjuler dem bedre og længere.

Det vigtigste må være, at foragt, latterliggørelse og forurettelse er den tåbeligste løsning.

Det er nødvendigt at finde årsager, udveje, undskyldninger. At vise forståelse, og aldrig opgive håbet om at finde veje, måder at nå dem på.

– Smukke ord, tænkte hun fortvivlet. Og hvad kan de nytte, når *han* forlængst er gået.

Hun gik i seng igen. Følte sig totalt udmattet. Tænkte på, om hun havde nået det hun ville.

– Le, sagde hun højt til sig selv, inden hun forsøgte at sove, – du mangler et vigtigt arbejde: at gøre status over dig selv, dit liv, dit barn, din fremtid. Måske uden mænd. Og det skal gøres, inden du bliver 30 år.

Knudemænd

Lene ringede til Le søndag aften. – Hvordan har du det? Hvad laver du?

– Jeg har det vist ikke for godt. Jeg kan ikke rigtig finde mig selv.

– Hvad vil det sige?

– Jeg har prøvet at systematisere de mænd, jeg har været forelsket i, for at finde ud af, hvor jeg gjorde fejl, eller hvor deres fejl er. Måske kan jeg lære af det.

– Tror du ikke hellere, du skulle komme herud, så vi kan snakke? Det du er i gang med, lyder for negativt. Jeg tror heller ikke, det er muligt at lave en sådan analyse.

– Jo, du, det er det faktisk.

– Jamen Le, selvom du finder nogle generelle træk, hvad vil du bruge dem til. Kom hellere.

– Nej tak, du, jeg tror, det er nødvendigt for mig, virkeligt at tænke dette igennem. Jeg synes, jeg har fundet alt for mange lighedspunkter og for megen følelsesmæssig fattigdom i de knudemænd, jeg har kendt.

– Knudemænd, det var da et skønt ord. Har du selv opfundet det?

– Det tror jeg nok, men jeg ved ikke, hvor skønt det er. Af en eller anden grund tror jeg, at det ikke kun er mit problem, mange andre kvinder må have det på samme måde. Hvad gør de? Lever med det? Med ham? Eller isolerer sig. Opgiver ...

– Jeg ved ikke. Men tror du ikke, mange kvinder resignerer? Og mange opdager heldigvis da ikke, at det er en knudemand – som du kalder det – de lever sammen med. Iøvrigt tror jeg,

94

mange kvinder resignerer eller opgiver et følelsesmæssigt for-
hold.
– Jamen, jeg vil jo ikke opgive. Jeg vil tro, selv på det
umulige. Det lyder skørt. Især lige for øjeblikket. Og jeg er
heller ikke så sikker på, jeg mener det.
– Det du mener, er det ikke, at du ville ønske, du reagerede
mindre voldsomt på dit sidste besøg hos Sten?
– Jo, det er selvfølgelig det vigtigste. Men det er jo gået
skævt for mig hver gang. Der må da være en forklaring.
– Og det er den du tror du kan finde, ved at grave alle mis-
lykkede forhold frem.
Nej Le, kom nu, det duer ikke. Det er bestemt ikke din
skyld.
Pause. Lene fortsatte: Det jeg siger hjælper ikke og trøster
ikke, vel? Hvad kan jeg gøre for dig?
– Ikke noget, Det er sødt af dig. Men du har ret. Lige for
øjeblikket hjælper det ikke ret meget. Det sidste her har sim-
pelthen taget for voldsomt på mig.
At blive smidt ud uden forklaring. Jeg føler mig åndelig
gennembanket. Det skete for pludseligt. Jeg var jo uforberedt.
Og det vil jeg ikke være en anden gang.
– *Var* du så uforberedt?
– Nej, nok ikke, hvis jeg skal være ærlig overfor mig selv.
Men hvad mener du om udtrykket „stoppe mens legen er
god". At være reduceret til en leg. OK, men hvorfor så stoppe,
hvis han synes, den er god?
Jeg vil stoppe en leg, når den blev *dårlig*. Men det var vel
også det, han mente.
Jeg var måske bare for uinteressant. Ikke spændende og in-
spirerende nok. Men han gav mig sjældent en chance for bare
at være mig selv og naturlig. Og glad.
– Le, hvis du tager ham som prototype på mænd, bliver din
analyse i hvert fald skæv. Du har aldrig villet forstå, at han er
låst fast i sin egen problematik, så han ikke kan give noget.
Hverken dig eller nogen anden.
– Det tror jeg ikke på. Det er jo nok rigtigt, at han ikke kan
elske mig. Men en anden da? Der må være en, der kan løse
de knuder han har følelsesmæssigt.
Men hvordan skal hun være? Hvordan er hun. Det vil jeg
så gerne vide.
– Le, jeg tror det for hans vedkommende er for sent.

– Jamen, nu modsiger du dig selv. Du plejer netop at sige, at vi lever af det uforudsigelige.

Men tilbage til min barokke analyse. Han passer ind i den. Han er faktisk den mest „rendyrkede" af dem alle.

Lene, hvad skal jeg gøre? På trods af alt, savner jeg ham afsindigt. Jeg elsker ham.

– Le, hør nu. Kom her ud. Eller. Du siger, du har fundet generelle træk ved dine sammenligninger. Hvis du også kan finde nogle konklusioner, så prøv at skrive om det.

Skriv dig fri af det.

– Det var måske en ide. Bare jeg kan. Og bare det hjælper.

– Det er da værd at prøve. Jeg synes tit det hjælper at formulere problemer, og det synes du jo også.

Og hvis det skal være en kronik, har du titlen. *Knudemænd*. Det er egentlig fantastisk dækkende for en del af de mænd, vi forelsker os i.

Efter samtalen følte Le sig pludselig vældig inspireret. Så på sine noter og især de to konklusioner. Skrev hele natten.

Ved syvtiden var hun færdig. Gik i bad, tog rent tøj på og kørte til seminariet.

Hun tog kronikken med og viste den til Morten.

– Den er god. Den tror jeg, du får antaget, selvom der er meget i den, jeg slet ikke kan give dig ret i, sagde han.

– Jamen, den handler jo heller ikke om dig, svarede hun.

– Du kan jo kalde den åbent brev til Sten Runge, smilede han.

– Hvis det bare var det eller ham, kunne jeg nøjes med at sende den til ham.

Og han ville lade, som om han aldrig havde fået den, og ville iøvrigt heller aldrig indrømme, at han har læst den, hvis den bliver optaget.

Men den handler ikke kun om ham. Det er jo ikke kun en „såret sjæls bekendelser", men noget jeg tror er temmelig generelt, det er det jeg vil afprøve, svarede hun.

– Mener du virkelig det?

– Ja, det er jo ikke kun mig, der ramler ind i den slags mænd. Jeg kender mange kvinder med samme problem. Der er to muligheder: de piger jeg kender ligner mig, eller der er alt for mange knudemænd.

– Det er iøvrigt et godt ord, du har fornyet sproget med, sagde Morten. – Har du været inspireret af Laings digte om

knuder?
– Måske. Jeg ved det ikke. Nok ubevidst. Men det er længe siden, jeg har læst Laing. Det kom bare af sig selv. Fordi jeg pludselig fik ideen med slipset.

Og jeg synes, det er dækkende og spiller på en del ting. Blandt andet følelsesknuder.

Du ved, nogle gange synes man ikke, man kan gå ind på deres betingelser, men det vigtigste er, at vi ikke tør opstille vore egne, af angst for at blive forkastet.

Det låser fast.

Man tør ikke sige det direkte, til den enkelte.

– Hvorfor ikke?

– De få gange jeg har prøvet, var resultatet forkastelse eller mistet interesse. Og jeg er så bange for at miste.

Og hvad kan det nytte, at jeg bliver ulykkelig, og især, at jeg får ondt af manden, når jeg ikke kan vise ham det. Fordi han forsvinder ud af min tilværelse.

Hun sendte kronikken til redaktionen.

Og hun længtes så voldsomt efter Sten, men turde ikke skrive til ham, som hun gerne ville.

Så det blev kun til:

Kære Sten, jeg savner dig, din Le.

Hun fik brev og korrektur fra avisen. Kronikken var antaget.

Hun blev bange, da hun så den på tryk. Havde hun generaliseret for meget? Været for unuanceret? Var indledningen for krukket, slutningen for banal? En eventuel reaktion måtte vise det.

KNUDEMÆND

Da jeg forleden skulle ud og holde foredrag, overvejede jeg, hvilket tøj, jeg skulle tage på. Jeg har den „fikse ide", at når jeg skal tale om kvindesag, skal jeg være så kvindeligt påklædt som muligt, for ikke at blive sat i den bås der hedder: „en af disse maskuline kvinder, der har været nødt til at tage en uddannelse, fordi ..."

I den anledning kom jeg til at tænke på det tørklæde, der matchede med skoene og understregede det feminine ved kjo-

len. *Det skulle være skødesløst bundet, hvilket bevirkede, at det altid på et eller andet tidspunkt løsnede sig, skulle bindes på ny og diskret arrangeres skødesløst.*

Det slog mig, at det problem har mænd ikke. De har slipset. Det er bundet fint og ordentligt i en knude, indviklet, og den knude går ikke op af sig selv.

Slips kan variere. De kan være diskrete, ensfarvede. De kan være stribede, eventuelt understrege, hvilken finere skole, man er udgået fra, de kan være håndvævede og matcher ofte med skjorte eller jakkesæt eller med begge dele.

I de senere år er mænd blevet mere dristige, hvad slips angår. Større, mere farvestrålende, ofte stærkt mønstrede. Men knuden er den samme.

Nu må man i sandhedens interesse fastslå, at mange mænd slet ikke − eller meget sjældent − går med slips, men det er kun en halv sandhed, for en stor gruppe mænd med rulle-kravesweaters har deres imaginære slips på, med knuden fast og pænt bundet.

Slipset og tørklædet er for mig et symptomatisk billede på en forskel på mænd og kvinder. Måske er det en afgrænset gruppe, men egentlig ret dominerende. Og fra et middelklasse-synspunkt særdeles interessant.

Der tales meget om, at der er sket skred i mange, tidligere mere veldefinerede roller, at vi kan begynde at se en mentalitetsændring. Jeg er ikke sikker på, at det er rigtigt. Det drejer sig i hvert fald om meget små grupper. For mig at se er der derimod trukket nogle skarpe grænser op, som måske er gavnlige, men som jeg føler, har belastet to grupper meget hårdt. Først og fremmest en stor gruppe mænd. Men også en del kvinder, der ikke har villet eller kunnet bevidstgøre deres situation.

Naturligvis har en del mænd erkendt, at de gamle roller ikke længere er holdbare, men noget tyder på at en langt større gruppe mænd er blevet bange. Bange, blandt andet fordi de definerer sig ud fra nogle kvaliteter og roller, som vi også magter, men som vi ikke anser for tilstrækkelige.

Der er talt så meget om, hvor belastede kvinder har været og er. Hvor undervurderede, udnyttede.

Men det er på tide at tale om mænd og deres situation. Og når de ikke selv vil, eller gør det i meget ringe grad, må det være kvinder, der har vænnet sig til at tale med hinanden, åbne og ærlige, der gør det.

Trods alle problemer er det lettere at kæmpe for at opnå noget end at skulle indse, at det er nødvendigt at afgive noget. Og et af mænds fundamentale problemer er nok en angst for at miste prestige.

Jo mere kvinder sammen eller alene arbejder på at selvstændiggøre og bevidstgøre sig, des mere ensomme og angste bliver og føler mænd sig. Og de strammer det imaginære slips endnu en gang, med stoisk ro, og mener, at det er en fortjeneste, mens vi andre mener, det er en menneskelig fattigdom.

Det er mit indtryk, at store grupper mænd er bange. Og gruppen vokser. De er bange for at miste det, der har kostet dem så dyrt at tilkæmpe sig: magt, anseelse, arbejdsmæssig overlegenhed osv.

Mange kvinder har i de senere år opnået nogle fordele af menneskelig, følelsesmæssig og arbejdsmæssig karakter, selvom det for mange har haft en høj pris. Mænd har af flere grunde ikke opnået noget særligt, og de vil under ingen omstændigheder indrømme, at de er ensomme, rådvilde.

De graver sig dybere og dybere ned i arbejde og mandsrolle, og hvad værre er, de begraver følelserne, eller, hvad de har lært i enestående grad: de tager et vist afmålt sæt følelser frem, når de mener, det er nødvendigt. Resten af tiden nøjes de med intellektet.

Den enorme fordyben sig i arbejdsmæssige problemer, mænd ofte udviser, selv hvor problemstillinger kan karakteriseres som petitesser, opfatter jeg som en flugt.

Men hvad er det, manden flygter fra?

Tit flygter han vel fra sig selv og de krav af følelsesmæssig karakter, man forsøger at stille ham overfor. Han er ofte bange for at blive forpligtet, og da er arbejdet en god undskyldning.

Der er næppe tvivl om, at mænd på visse områder har fået en langt dårligere, mere belastende og frustrerende opdragelse end kvinder. Her vil jeg måske komme i modstrid med mange kvinders syn på opdragelse. Jeg mener heller ikke, at kvinder generelt har fået nogen særlig positiv opdragelse. En stor del af ens voksentilværelse er gået med at forarbejde og omstrukturere barndommen.

Groft forenklet kan man påstå følgende: mange mænd og kvinder er opdraget under jantelovens første bud: du skal ikke tro, du er noget. Men her skiller opdragelsen; for drengen fik at vide, at han skulle arbejde på, kæmpe for at blive noget. Pigen derimod fik at vide, at hun kunne opnå noget, blive defineret, men af forhold, hun ikke umiddelbart havde indflydelse på.

Et andet forhold som i sin banalitet ikke kan siges ofte nok, er ganske enkelt, at kvinden i langt højere grad gennem opdragelsen fik mulighed for at holde sit følelsesliv mere intakt end manden.

Og det er det centrale ved vor situation i dag. Og det er en af de væsentligste grunde til, at mænd er bange. Det får dem til at søge det uforpligtende, det mindstkrævende, det traditionelle. Eller sagt med andre ord: en stor gruppe mænd viger tilbage for det forpligtende forhold, forpligtende i følelsesmæssig forstand, det alvorligt mente venskab, tillidsfuldheden. Og de bliver ofte rædselsslagne, når man vover at vise følelser. I de tilfælde gemmer de sig – bevidst eller ubevidst – i banaliteter.

Der sker for tiden en magtforskydning, som på langt sigt må anses for sund, men som i hvert fald i overgangsperioden skaber såvel aggressioner som angst.

For en temmelig stor gruppe kvinder er der ganske enkelt sket det, at de har bevist, at de kan klare sig på linje med mænd, samtidig med at de enten har bevaret deres følelser intakte eller fået mod til igen at vise følelser.

Der er flere grunde til denne for kvinder positive udvikling, den vigtigste er, at de kvinder, jeg tænker på, virkelig taler sammen, om sig selv, deres tilværelse, deres følelser, om mænd.

Mænd gør ikke noget tilsvarende og det uddyber kløften mellem den bevidste gruppe kvinder, jeg refererer til, og de mænd, hvis angst og usikkerhed vokser.

Usikkerheden forstærkes også af, at mænd ofte ikke forstår, hvad det er, kvinder vil. De tror alt for ofte, at der er tale om en magtkamp. Det er der naturligvis også i nogle tilfælde, men langtfra i alle. Mange kvinder, der er bevidst om disse problemer, ønsker ikke magt. Der ligger megen magt og styrke i, ikke at ville have magt.

Jamen, hvad er det egentlig mænd ikke forstår, eller ikke vil forstå?

At vi gerne vil solidarisere os med dem, men ikke på deres betingelser, på fælles betingelser. At vi udmærket kan forstå,

100

at de har det hårdt, men vi kan ikke hjælpe, så længe de ikke ønsker hjælp.

Vi taler ofte om et kvindesyndrom, om kvindens psykiske lidelser, om hendes belastninger.

Men måske er mænds problemer ved at være alvorligere? Blandt andet fordi de er mere ensomme. De har det hårdt. Ofte arbejdsmæssigt, men tit også i hjemlige situationer.

Der er nogle uhyggelige tendenser i tiden rent familiemæssigt. Ofte sker det, når kvinden i et forhold bliver stærkere, at manden ikke vinder ved hendes styrke, men bliver svagere. Det kan resultere i, at kvinden resignerer og spiller det spil, manden forventer, og som hun efterhånden lærer at foragte. Det kan lige så ofte ende med skilsmisse.

Den anden familieform er en privatisering, der virker uhyggelig og lammende i sin lukkethed. En tosomhed, sat i system og baseret på den totale gensidige ejendomsret.

Der tales en del om det åbne ægteskab, hvor parterne i gensidig respekt for hinanden dels lever tilværelsen sammen, dels hver for sig som enkeltindivider. Men de færreste tror alvorligt på det, og ser de det realiseret, er de sikker på, at der „ligger noget under", den ene „spiller nok komedie", eller man karakteriserer det som ekstremt. Og ekstremt betyder jo nærmest det samme som ikke-eksisterende.

På et punkt har mænd det lettere. De kan nemmere flygte ud i det uforpligtende forhold. Der vil altid være kvinder, der er villige til at opfylde den traditionelle rolle, som alt for mange mænd foretrækker: moder, elskerinde, den underlegne, den barnagtige, den umyndiggjorte.

Vi taler ofte med foragt om hende. Og det skyldes, at vi tit er kede af, at han valgte så banalt.

For det væsentligste i dette er, at vi ikke kan undvære mænd. Og vi bliver sårede og ulykkelige, når vi oplever, med hvilken lethed en mand er i stand til at afbryde et forhold.

Jeg har altid tidligere misundt mænd denne evne at kappe følelser over, eventuelt med en bemærkning om at det er vist bedst sådan.

Bedst for hvem?

Jeg har også misundt mænd deres evne til at kunne holde følelser og eksempelvis arbejde så totalt adskilt. Jeg har tidligere anset det for at være en styrke.

I dag ønsker jeg ikke denne „styrke", som jeg anser for en

følelsesmæssig fattigdom. I dag vil jeg hellere betale prisen, selvom den ofte er høj.

Jeg har fornylig genlæst Doris Lessing: Den gyldne bog. Med 2 hovedformål: hendes beskrivelse af lykke og hendes analyse af mænd. Min eneste indvending mod bøgerne er, at hendes kvindeskikkelser er så fortvivlende monogame, hvilket jeg ikke tror, kvinder er i så stor udstrækning, som det umiddelbart ser ud. De har blot færre muligheder, især hvis de er kritiske, har også mindre mod, er bange for afvisningen og er mere prisgivet normer end mænd.

De vil som regel også være mere inderlige i deres kærlighedsforhold, og det koster såvel følelsesmæssigt som psykisk.

Skulle man sammenfatte noget af det, Doris Lessing har at sige om mænd, er en stor del af det allerede refereret i det foregående, idet hendes syn på mænd i meget vid udstrækning dækker mit. Hun har blot ikke så ondt af dem, opfatter dem ikke så magtesløse og angste og følelsesmæssigt ensomme, som jeg gør.

Den gyldne bog er noget af det klogeste, der er skrevet om mand-kvindeproblematik, måske netop, fordi den ikke 'var tænkt som en kvindesagsroman.

Hun fastslår, hvad vi andre vel også må gøre, i hvert fald, hvis vi er ærlige overfor os selv, at vi alt for ofte forråder vor egen integritet, alt for villigt afgiver dele af vor personlighed, når vi forelsker os, hengiver os. Hun skriver et sted: „En gang imellem kan jeg ikke fordrage kvinder, jeg synes dårligt om os alle for vores evne til at lade være med at tænke, når det passer os. Vi foretrækker ikke at tænke, når vi rækker ud efter lykken."

Jeg tror ikke, at jeg kan give hende ret; det vigtigste er ikke, at vi periodevis „forråder" kvindesagen i forholdet til mænd. Det vigtigste er, at vi er bevidste om, hvad vi gør. Også fordi mænd, hvis de vil tage imod,, har brug for at vi gør det. Fanatisme er en større fare.

Når Doris Lessing omtaler sine hovedpersoner som „frie kvinder" er det til dels ironisk, de er ikke særligt frie, men ofte prisgivet i de forhold, de har til mænd. Og i den forbindelse er det for mig værd at pointere, at frihed også kan være frihed til at opgive sin frihed, til fordel for en hengivelse, som ofte ikke gør lykkeligere, men klogere og mere indsigtsfuld.

Doris Lessing siger om kvinderne: De var begge usikre og

rodløse. Men hovedpersonen Anna siger, idet hun har lært at bruge disse ord på en ny måde, ikke som noget, man måtte bede om undskyldning for: „Hvad er egentlig denne sikkerhed og ligevægt, der skal være så udmærket? Hvad er der i vejen med at skulle leve følelsesmæssigt fra hånden og i munden i en verden, der forandrer sig så hurtigt som den gør?" Og et andet sted: „Det faldt mig ind, at det rå og ufærdige ved mit liv netop var det værdifulde ved det, og at jeg burde holde fast ved det."

Det er vigtige citater. Det modsatte af stagnation, resignation, at arbejde videre med sig selv, udvide sin tilværelse.

Mange kvinder betaler en meget høj pris for den overgangssituation, vi befinder os i netop nu.

Men vi er nået langt, vi kan blandt andet søge trøst hos hinanden. Hvornår har vi sidst oplevet mænd fordybet i den alvorlige, indsigtsfulde men også muntre samtale om fundamentale, livsnære problemer og ikke kun arbejdssnak?

Nogle mænd kan føre den givende samtale med kvinder. Men med hinanden?

Mænd skal først til at begynde. Og gør de det?

Følgende citat fra bogen understreger i stærk grad forskelle i mænds og kvinders opfattelse af lykke:

„Jeg lå i sengen, lykkelig. Så lykkelig, at den glæde, der nu opfyldte mig, var stærkere end al den elendighed og galskab, der var i verden, eller sådan følte jeg det. Men lykken begyndte at sive bort, og jeg lå der, og jeg tænkte: hvad er det egentlig, vi har så meget brug for? (Med vi mener jeg kvinder). Og hvad er det værd? Jeg havde det sammen med Michael, men det betød ikke noget for ham, for hvis det havde gjort det, så ville han ikke have forladt mig. Og nu har jeg det sammen med Saul, klamrer mig til det, som om det var et glas vand, og jeg var tørstig. Men ikke så snart tænker man på det, før det forsvinder. Jeg vil ikke tænke på det ... Jeg lå i sengen i mørket og lyttede til Saul, der larmede og bragede rundt over hovedet på mig, og jeg var allerede forrådt. For Saul havde glemt „lykken". I og med at han var gået ovenpå, havde han lagt et svælg mellem sig selv og lykken.

Men jeg så det ikke blot som en fornægtelse af Anna, men som en fornægtelse af selve livet. Jeg tænkte, at et eller andet sted ligger der en grufuld fælde for kvinder, men jeg forstår endnu ikke, hvad det er. For der kan ikke være tvivl om, at

103

kvinder anslår en ny tone, at de føler sig forrådt. Det ligger i de bøger, de skriver, i den måde, de taler på, overalt, hele tiden. Det er en højtidelig, selvmedlidende orgeltone. Den er i mig, Anna, den bedragne, Anna, den ikke-elskede, Anna, hvis lykke bliver fornægtet, og som ikke siger: Hvorfor fornægter du mig men: Hvorfor fornægter du livet?

Da Saul kom ned igen, stillede han sig op, effektiv og aggressiv med sammenknebne øjne, og han sagde: – Jeg går. Og jeg sagde: – Jaså. Han gik som fangen, der undslipper."

Det var noget om lykke. Og selverkendelse. Det gælder for mange af os. Det vi har nået har kostet. Og vil fortsat være forbundet med temmeligt mange følelsesmæssige omkostninger. Det var det værd. De gange man bliver forkastet. Det var det værd, de gange man overvandt sig selv og nåede et stykke længere i at forstå meningen med sit liv.

Men mændene? De er bundet af såvel reelle som imaginære forventninger til status, præstation og krav til deres maskulinitet. Og deres følelser ligger ofte som knuder, dybt nede, så dybt, at de måske for manges vedkommende aldrig kan drages frem, bruges, gennemleves. Det resulterer nemt i en uformåenhed, en manglende forståelse for de virkelige værdier og de dybere sammenhænge.

Knudemænd, hvor intelligensen, ambitionen, arbejdsmæssig prestige og den kølige overvejelse sidder over det symbolske slips, godt bundet. Følelserne, eller den del af dem, man tillader sig, sidder under. Skarpt adskilt.

Et tilbud om at hjælpe dem? Ja, selvom vi er blevet mere kritiske. Og de ofte har afvist os, kaldt os hysteriforme og valgt den omkostningsfrie udvej.

Vi har måttet overveje, om vi ønskede tilværelsen problemløs og uforpligtende, eller om vi ville problematikken, selverkendelsen på godt og ondt. I visse situationer det modsatte af lykke. Om vi i givet fald også var stærke nok til ensomheden.

Mange af os er stærke nok, også til at indse vore svagheder. Og jeg tror, vi kan hjælpe dem, selvom de er afvisende og nærtagende. Jeg tror på, vi har meget at lære hinanden. Jeg tror på et gensidigt, frugtbart samarbejde. Jeg tror på, at knuden kan løses.

104

Week-end

Helvede – det er de andre.
Sartre

Le havde en helt vanvittig week-end. Hun havde forestillet sig at skulle være alene med sit savn, med sit tåbelige håb og sin tristhed. Havde besluttet sig for at prøve at ville arbejde sig ud af den.

Jacob havde hentet Marianne i børnehave fredag eftermiddag og ville aflevere hende søndag aften, havde de aftalt. Marianne havde glædet sig, for hun hyggede sig altid så godt sammen med Jacob.

Søndag aften følte Le sig nærmest forfulgt. Det var, som om alle mennesker med problemer havde besluttet sig for netop i denne week-end at opsøge hende.

Det var nu nok så meget et tilfældigt sammentræf, fremkaldt af kronikken om knudemænd.

Iøvrigt skete det ofte, at venner og bekendte med problemer opsøgte hende, fordi hun var god til at lytte, aldrig udtalte sig definitivt, men mere – ved at spørge og forsigtigt kommentere – at få den, der søgte hjælp, til selv at finde en eventuel løsning, hvis det var muligt.

Le tænkte meget på sit eget ægteskab den week-end. Der var så meget, som satte det igang, og hun undrede sig over, hvor lidt hun egentlig havde tænkt på ægteskabets eller parforholdets problemer, før hun giftede sig, men hvor meget sidenhen.

Også fordi hun så ofte blev involveret i andre menneskers mere eller mindre – og mest mindre – vellykkede ægteskaber.

Både fredag og lørdag fik hun nogle opringninger og breve fra fremmede mennesker, kvinder. Nogle ville bare fortælle,

105

at hun havde ret i sine påstande, nogle henviste til anden god litteratur om samme problematik. Andre søgte råd, appellerede til hendes diskretion:
– Vi har været gift i over 25 år. Vi taler næsten ikke sammen. Eller – Vi har intet at sige hinanden. Eller – Han kan slet ikke se, vi har noget problem, synes bare jeg er overspændt og hysterisk. Hvad skal jeg gøre?

Ja, hvad skulle de gøre? Skrige og råbe for at få manden til at reagere var ingen løsning, eller var måske allerede forsøgt. Skilsmisse? Ofte umuligt. Angst for ensomhed. Selv om to menneskers fælles ensomhed måske kan være værre end at være ensom alene.

De fleste ældre kvinder, der reagerede, havde hverken job eller uddannelse. Skilsmisse ville betyde social deroute om ikke andet.

Det var ikke muligt at råde. Kun lytte, være medfølende.

Men hun følte selv, hvor hult og håbløst det lød, når hun sagde noget i retning af: prøv da igen. Prøv langsomt at få en samtale igang. Forklar roligt, hvor rædsomt, eller desperat, eller ulykkelig du føler dig.

Hun kunne ligeså godt have sagt: du er fanget. Se i øjnene at du skal blive i dit eget lille helvede resten af livet. Der er ingen udveje.

Det slog hende, da en kvinde, lidt ældre end hun selv ringede og fortalte, at hun lige var blevet skilt: „for vi begyndte først at tale sammen, da det var for sent".

Hun tænkte, talte Jacob og jeg i det hele taget sammen, prøvede vi i det hele taget, før jeg besluttede mig?

Overvejede, hvornår noget var for sent. Det er det nok ret tidligt, når man ikke er opmærksom på det.

Men visse forhold havde hun været opmærksom på i deres korte ægteskab. Hun begyndte at lægge mærke til, hvilke infame spil ægtefæller fastholdt hinanden i. Havde engang gjort Jacob opmærksom på det og sagt til ham, at den dag, de selv begyndte at spille den slags spil, den dag de begyndte at fastholde hinanden i bestemte roller, bestemte mønstre, måtte de gå fra hinanden.

Hun huskede, at Jacob havde set forundret ud, han havde slet ikke lagt mærke til disse undertoner af bitterhed, når de besøgte andre par, denne ubevidste såren hinanden, den lille infami, der kunne ligge i tilsyneladende uskyldige bemærkninger. Leende, eller smilende kunne ægtefæller udlevere de mest uforskammede indiskretioner, som om det var morsomheder.

Men hun og Jacob talte alt for sjældent om deres forhold. Undertiden spekulerede Le på, om det bare var hendes forventninger, der havde været for store.

Måske kunne det være lykkedes, hvis hun havde givet det mere tid. Men hun tvivlede. Jacob var sjældent indstillet på at diskutere deres problemer, syntes ikke rigtigt at bemærke dem, og han faldt ofte i søvn, når hun ville diskutere noget, der syntes hende at være vigtigt for dem begge. Og hun huskede, at hun i de situationer, hvor hun snakkede, indtil hun opdagede han sov, havde haft lyst til at flygte. Men fra hvad, og hvorhen. Hun var bundet af situationen.

Le følte en næsten uovervindelig trang til at ringe til Sten, bare høre hans stemme. Legede med telefonen, dette ubarmhjertige apparat. Drejede de to første cifre af hans nummer, lagde på.

Begyndte på et brev til en fremmed, vidste ikke, hvad hun skulle skrive, drejede tre cifre af Stens nummer, lagde på, kredsede om telefonen.

Bare jeg kunne glemme det nummer, tænkte hun og drejede fire cifre, men så kan jeg jo bare slå det op igen, og jeg kan jo ikke glemme det.

Tænkte: – nu er du *for* tåbelig og barnagtig.

Besluttede i stedet at skrive et lille brev til ham.

Skrev: Jeg kender ikke din smag med hensyn til digte, og hvis vedlagte digtsamling, som jeg holder meget af, ikke siger dig noget, hvis stilen irriterer dig, så læs blot mine to yndlingsdigte. De handler om kærlighed, som det meste her i tilværelsen jo handler om – eller manglen på samme.

Postede det.

Tænkte: nu er det ham, der skal reagere. Hvis han da har lyst og ikke blot opfatter dette anmassende.

Birgitte, en af hendes gamle elever ringede: – Le, jeg trænger til at hælde vand ud af ørerne. Jeg har truffet en mand, som jeg er vildt forelsket i. Vi var sammen forleden. Pragtfuld nat, men ingen aftale.

Nu ved jeg ikke, hvad jeg skal gøre. Ringe, eller håbe, at han gør det. Det er til at blive desperat over. Hvis jeg ringer, synes han måske, at jeg er for påtrængende? hvis jeg ikke ringer, er jeg måske ikke interesseret nok. Hvad fanden skal jeg gøre?

Jeg ved jo heller ikke, hvad han har forestillet sig. Det taler man jo aldrig om. Eller rettere, det taler *de* aldrig om. Kan de slet ikke forestille sig, at man gerne vil vide, om de er interesseret? Komisk: nu taler jeg i flertal, men jeg har oplevet dette for tit.

Er det et engangsknald de vil, eller vil de vise deres magt ved at holde én hen. Går det højt, siger de, – jeg skal nok ringe. Og så kan man iøvrigt sidde brandvagt ved den telefon. Nå, jeg forelsker mig nok i den forkerte type mænd.

– Det er vi vist mange, der gør, svarede Le, – problemet er, hvor man finder den anden type, den „rigtige". Jeg er bange for, at der er for få af dem. Og de forelsker sig måske ikke i os.

– Du skal trøste mig, Le, klagede Birgitte.

– Ja, hvis jeg kunne.

– Jeg er så træt af mænd.

– Ja, svarede Le, det er jeg også. Og vi kan ikke undvære dem.

Lørdag formiddag kom en af hendes fars venner, som hun havde bevaret en vis forbindelse med. Hun kendte en del mænd, som hun rubricerede under kategorien „min kone forstår mig ikke"-typen. Og havde lært, at der var grund til at tage dem alvorligt. De brugte ikke selv længere vendingen, den var blevet for latterliggjort, men den var ikke mindre sand af den grund.

– Smid mig bare ud, hvis jeg forstyrrer, men jeg trængte bare til at tale med dig, se dig, høre et par fornuftige bemærkninger, sagde han.

Han var pensioneret, og det havde ikke gjort hans ægteskabelige forhold bedre, to mennesker, der ikke kunne råbe hinanden op, overladt til hinanden hele dagen.

Når Le og han snakkede, og han fortalte, tænkte hun ofte på det stykke af Becket med de to i hver sin skraldespand. Han angst for at udlevere, være usolidarisk, bagtale. Men de havde den aftale, at hvad han sagde til hende ikke var nogen af delene, kun en måde at finde frem til forståelse på.

Hun holdt meget af ham, men var også lidt bange. Han påvirkede hende voldsomt psykisk, fordi han virkede og talte så skæbnetungt, som om han ikke længere havde tid og råd til at pakke problemerne, ordene ind. Og hun havde intet værn mod håns ord, de gik ind bag huden og fik hende til selv at føle sig flået og hudløs.

Han virkede ofte desperat, og hun turde ikke afværge, ikke afparere, det ville være fejhed og selvforsvar, og han ville opdage det, og gå, endnu mere ensom.

Samtalerne med ham var ofte absurde og springende. Skyld var et tilbagevendende tema.

Han refererede bøger han havde læst. Ville diskutere problemstillingerne i dem. Hans kone gad ikke læse, havde heller ikke tid, dagen gik med at gøre rent i et hus, der aldrig trængte til det.

Det seneste problem var, at han ikke kunne sove om natten, ville hellere læse, men det ville hans kone ikke have. Om natten sov man. Og det forstyrrede hende, hvis han havde læselampen tændt og vendte blade.

Hvad med at læse inde i stuen, foreslog hun. Nej, om natten skulle man ligge i sin seng.

Hvad med hver sit soveværelse. Nej, når man var gift, havde man fælles soveværelse. Det andet ville være unaturligt og hvad ville folk ikke tænke.

Hun holdt meget af ham, afskyede til gengæld hans småborgerlige kone.

Havde aldrig kunnet finde blot et enkelt forsonende træk hos hende. Rengøring, hvad andre gjorde, hvad andre tænkte. Forargelse og selvretfærdighed. Så sikker på, at hvad hun mente og gjorde var det rigtige.

– Du skal vide, sagde han ofte, fordi han nærmest kunne læse hendes tanker, – jeg har elsket hende en gang. Og jeg gør det vel også nu. Jeg var så taknemmelig over, at hun ville gifte sig med mig, og på en måde er jeg låst fast i denne taknemmelighed.

– Når vi ikke forstår hinanden, og det gør vi mindre og mindre, føler jeg mig skyldig. Alt det jeg beklager mig over, er småting, hun passer jo på mig, jeg tror ikke, jeg kunne leve uden hende.

Jeg ville bare så gerne, at hun forstod lidt mere af det, der optager mig. At det interesserede hende lidt. Men det er nok min egen fejl. Og jeg er bestemt ikke bedre. For det, der optager hende, interesserer jo ikke mig. Selvom jeg gør mig umage.

Le, I er så frie. Mange af jer er åbne. Du gør så meget, vi

109

andre ønskede, men aldrig turde. Le, bliv ved med at være åben overfor tilværelsen. Det modsatte er død. Jeg føler mig så ofte levende død. Og jeg lover dig, det er værre end døden. Alt det jeg drømte, blev kun til drøm. Du kan realisere dine drømme. Gør det, mens tid er. Vi var så bange. Vi er så bange for normer, skyldighed, forpligtelser, vi vidste ikke overfor hvad. Men det var der, og det har ædt os op.

– Men vi taler kun om mig. Fortæl mig nu noget godt om dig og Marianne. Jeg er ked af, hun ikke er her. Børn er tilværelsens største gave og bekræftelse. Du glemmer det ikke, vel?

– Nej, sagde hun, og slet ikke når du har sagt det. Ved du, du skræmmer mig tit med dine ord. Fordi jeg holder så meget af dig. Og fordi dine ord forpligter.

De tog om hinanden, da han gik. Han holdt længe fast om hende, havde intuitivt mærket at hun ikke var glad, men var ulykkelig.

– Jeg er den dårligste til at trøste, mumlede han, men på samme måde holder jeg så meget af dig. Jeg har bare intet at give. Andet end at jeg tit tænker på dig, og altid med glæde og taknemmelighed. At vide du er til, er et lyspunkt.

Du skulle have heddet Lys, ikke Le. For selv når du er trist lyser du. Hvis andre har gjort dig ondt, så tænk på, at der sidder en gammel, ensom mand og synes, du er en gave i livet.

– Kom snart igen, sagde hun. De havde begge tårer i øjnene, du tror, du har brug for mig. Men det er gensidigt.

Troels, en af hendes lærere fra studietiden, ringede om eftermiddagen. Hun mærkede, at han gerne ville komme, men hun orkede det ikke, lod det blive ved telefonsamtalen.

Troels var et af de fattigste mennesker hun kendte. Han havde alt, både materielt og intellektuelt, var en strålende begavelse og fortolker af dansk litteratur. Det sidste undrede hende altid. Han var en god lærer, hun havde lært meget, da hun studerede hos ham.

Allerede dengang havde det slået hende, hvor trist en person han var, når det ikke gjaldt det arbejdsmæssige. Og hun havde tænkt *hvorfor?* Også fordi det blev mere og mere udpræget.

Han var så panisk bange for alderen, at det ofte gjorde ham latterlig. Og hun havde håbet, at alderen ville hjælpe ham.

110

Af en eller anden grund kunne hun lide ham. Vidste ikke, om det var medlidenhed. Han var nok det mest ensomme menneske, hun kendte. Man kunne sige, det var hans egen skyld. Men hvad i tilværelsen havde formet ham til det han var?

Hans væsentligste problem var en enorm selvoptagethed, som jog andre væk. Fordi han var selvoptaget på en ucharmerende, forurettet måde.

I det hele taget var forurettelsen et væsentligt træk hos ham, det der gjorde ham så fattig. Han ville gerne have venner, men havde ingen. Han ville gerne giftes, men kunne ingen pige finde, der kunne holde ham ud i mere end et par måneder.

Nu ringede han, fordi igen et forhold var gået i stykker. Hvorfor, Le? klagede han. Der kan være så mange grunde, sagde hun neutralt venligt, du skal se, du finder nok en ny.

Hun havde flere gange forsøgt at forklare ham, hvad hun troede var hans problemer. Men han havde ikke forstået, havde ikke villet forstå. Og da hun havde sagt det noget mere direkte og tydeligt, var han blevet fornærmet og var gået. Dybt forurettet. Men var dukket op igen.

– Fordi du er smålig, kunne hun have svaret. – Fordi du er angst for at komme til at yde blot en tøddel mere, end du er helt sikker på at få igen. Det gælder materielt, det gælder følelsesmæssigt. Fordi du sidder og måler og vejer som en anden høker, hvad enten det er en øl på en restaurant eller et kær tegn.

Fordi du aldrig er impulsiv eller glad, for du kunne jo komme til at glæde dig for tidligt, eller over noget, der ikke var din glæde værd.

– Jeg har alt, jeg kunne jo gøre en kvinde lykkelig, klagede han. Hvorfor er de så ligeglade og utaknemmelige?

Hvad skulle hun svare? At han ikke havde alt men netop manglede det væsentlige: varme, følelser, engagement i andre end sig selv.

– Viste du hende, at du holdt af hende? spurgte Le. – At hun betød noget for dig, og at du var glad, når hun var der?

– Nej, ikke sådan direkte. Det er da en selvfølge.

– Nå, nej! sagde Le – så længe du ikke forstår, at intet er en selvfølge, sålænge du ikke forstår, at den slags regnestykker ikke går op, fordi man begynder at regne på det, så forstår du ikke et ord. Jeg kan ikke hjælpe dig. Du må hellere begynde

111

at akceptere din ensomhed. Du har ikke andet at gøre. Hun lagde røret på.

Og tænkte på den gamle mands taknemmelighed for ingenting, og Troels' utaknemmelighed overfor alt.

Niels, en tidligere kollega, dukkede op sidst på eftermiddagen:
— Jeg kom lige forbi, ville se, hvordan du har det. Du ser ud til at have det godt. Jeg har det ad helvede til. Kender du nogen, der kan skaffe en lejlighed? Jeg vil skilles.
— Jamen, I har da lige holdt sølvbryllup, sagde Le, mens hun kiggede på ham. Han virkede både hektisk, desperat og noget påvirket.

Hun kunne høre, hvor barok hendes sætning lød og sagde:
— Er du sikker på, at I skal skilles? eller at du vil? og hvorfor? I har da altid virket meget harmoniske sammen.
— Le, sagde han og begyndte at græde, — jeg *kan* faktisk ikke mere. Heller ikke opretholde facaden. Det værste er, at jeg kan lide hende. Men hun har i lang tid drevet mig til vanvid. Og hvis jeg sagde, at vi har seksuelle vanskeligheder, er det både sandt og løgn. Det væsentlige er, at hun har fundet det mest probate middel til at gøre mig underlegen, til at tyrannisere mig på. Det ender med, at hun gør mig impotent. Men så er det andet problem jo også løst.

Jeg ved egentlig ikke, hvad der er sket, eller hvordan det begyndte. Men det er nok kommet lidt efter lidt.

Den mindste forurettelse, den mindste kritik, så ved jeg: Intet samleje i aften! Det kan være noget, jeg har glemt, noget jeg har sagt uden at tænke over det.

Hun har altid undskyldninger: træthed, hovedpine, noget hun skal i morgen. Eller også: når jeg ikke har påskønnet hende om dagen, har hun virkelig ikke lyst om natten.

Så havde jeg et kort forhold til en af hendes veninder. Hun opdagede det. Straf: ingen sex i tre måneder!

Bare jeg forstod hende. Hvad er det, jeg skal straffes for? Hvorfor har hun ikke lyst til mig? Når vi endelig er i seng sammen, nyder hun det jo.

Hvis hun ønsker sig et eller andet, til huset eller til sig selv, og jeg siger — ja, det synes jeg, du skal købe, så går hun i seng med mig. Men siger jeg, at vi ikke har råd, det må vente, så véd jeg: ingen kærtegn, intet samleje. Indtil jeg giver mig.

Hvad er forskellen på det og prostitution?

112

– Jeg kan ikke svare dig. Jeg kan ikke forstå det. Jeg kan ikke hjælpe dig, sagde Le. – Der må være noget andet, noget der ligger dybere. Du er jo ikke den eneste med det problem. Jeg har hørt det en del gange før.

Jeg véd ikke, hvad der er i vejen med de koner. Jeg kan kun gætte. Noget med kedsomhed? Angst for alderen? Livet ved at glide forbi.

Snakker I aldrig om det? Har du nogensinde, uden at være ophidset eller påvirket, prøvet at få hende til at forklare det?

– Hun vil ikke. Eller også siger hun, at jeg kun tænker på det. Eller at jeg udnytter hende, og det vil hun ikke mere. Men jeg forstår ikke noget af det.

Sidste gang sagde hun, at jeg kedede hende. At jeg altid gjorde det på samme måde. Men hun har jo aldrig villet prøve noget nyt.

Le sad længe og overvejede. Anede ikke, hvad hun skulle sige, hvordan hjælpe her. Sagde noget om, at de egentlig burde have hans kone med til denne samtale, men Niels sagde, at det ville hun aldrig gå med til. Hun ville blive dødelig fornærmet, hvis hun vidste, at han sad her og talte om deres seksuelle forhold.

– Le, sagde han videre, – tak fordi du gad lytte. Jeg har ikke et menneske, jeg ellers kan betro mig til.

– Det ville blot være bedre, hvis du fandt en mand, eventuelt nogenlunde jævnaldrende, du kunne tale med.

Jeg kan jo ikke give dig et eneste godt råd, andet end at du skal prøve at snakke videre med din kone. For skilsmisse tror jeg ikke på er nogen løsning for jer.

Nej, det troede han heller ikke selv på. Men tilstanden blev bare mere og mere uudholdelig. Og uforståelig. Og uløselig.

Han virkede meget ensom, da han gik. Alt for taknemmelig, fordi hun havde gidet lytte til ham.

Om aftenen gik hun i biografen og så Gøgereden. Så får jeg da vanviddet sat i relief, tænkte hun, ud fra, hvad hun havde hørt om den.

Var glad for, at hun var gået alene. Filmen virkede voldsommere, end hun havde forestillet sig. Havde umuligt kunnet diskutere detaljer i den med nogen. Havde hørt, der var så mange morsomme scener i den og hørte folk le, men kunne ikke selv. Opfattede det som en grufuld helhed, uanset hvilken synsvinkel man anlagde.

Opdagede, da hun gik derfra, at hun var øm i alle muskler, havde siddet anspændt i næsten to timer, selv kæber og tænder var ømme.

Når hun senere diskuterede filmen med nogen, var der flere ting der slog hende: Hvor forskelligt den kunne forstås, at den også kunne tolkes positivt.

Hun kunne kun se den negative fortolkning, både individuelt, magtmennesket sejrer, alt positivt kan nedbrydes, alt sundt kan gøres sygt, og kan fortolkes i sygelig retning. Politisk, den svage har ingen mulighed, alt er dirigeret, oprøret får ingen betydning, er kun krusninger, der forsvinder igen.

Og globalt, Vestens undergang, uden at der levnes Østen noget særligt håb.

Hun følte nogen tid, at egne problemer i forhold til dette, var latterlige, men blev bange for håbløsheden og undergangsstemningen.

Hun indså nødvendigheden af, at fastholde sig selv i de nære ting, som denne film jo også handlede om.

Søndag sov hun længe, stod op ud på formiddagen, lavede kaffe, gik i seng igen med aviserne. Prøvede at hygge sig, men dagen i går havde været for voldsom, tænkte på alle de problemer hun var blevet stillet overfor. Og hvor fastlåst de fleste mennesker var i deres problematik.

Da en veninde, som hun ikke havde hørt fra i lang tid, ringede og spurgte, om hun lige måtte komme forbi, der var noget hun trængte til at tale om, sagde hun ja. De aftalte at Anne skulle komme ved tre-tiden.

Le blev chokeret over at se hende. De var jævnaldrende, men Anne så utrolig hærget og ældet ud. Hun virkede noget medicinpåvirket, fortalte, at hun fik nervepiller, men de hjalp mindre og mindre, så hun var efterhånden oppe på en stor dosis. For stor, sagde hun selv, men jeg kan ikke holde det ud.

– Hvad kan du ikke holde ud? spurgte Le.

– Det hele, var svaret, mit liv, mig selv, mit ægteskab.

– Hvor længe har det stået på? Og hvilke grunde er der? Du kan bare fortælle det har du lyst til, giv dig blot tid.

Anne begyndte, med grådanfald ind i mellem, at fortælle om sit private inferno.

– Le, jeg vil egentlig bare spørge dig om, hvordan det er at leve som enlig mor med barn?

– Nej, svarede Le, – det er ikke det, du er kommet for at
få at vide, og du ved lige så godt som jeg, at det kan der ikke
svares generelt på.

Du er kommet for at spørge mig til råds om noget helt an-
det. Og det kan jeg højst sandsynligvis ikke svare på, men jeg
kan lytte og vi kan snakke.

Anne begyndte: gift i 11 år, en søn på 10 år. Ægteskabet
grusomt, manden drak i perioder, men det var ikke det værste.
Selvom det kunne være slemt nok, for var han virkelig fuld,
blev han aggressiv og bankede både hende og sønnen.

Det værste var dog hans tavshed. Når noget gik ham på,
eller noget havde stødt ham, sagde han simpelthen ikke et ord
til hende. Og ignorerede fuldstændig sønnen.

Det kunne være små ting, der udløste denne totale tavshed,
og hun vidste sjældent årsagen. Det kunne godt stå på i mere
end en uge ad gangen.

Hun var begyndt at tage nervepiller for at holde det ud, det
hele var gradvist blevet værre.

Sønnen reagerede med skolevanskeligheder og med at tisse
i bukserne, både om natten og ofte osse om dagen. Det med-
førte, at han blev drillet af de andre børn og blev hidsig i
perioder, slog de andre, så forældrene klagede, men havde i
den senere tid isoleret sig totalt, lukket sig inde i sig selv, såvel
i skolen som hjemme.

For tiden var han på observationsskole. De havde tidligere
været i familieterapi, hun og sønnen, faderen ville ikke med
til sådan noget pjat.

På observationsskolen havde man konkluderet, at der kun
var to alternativer:

Enten skulle sønnen på behandlingshjem, eller også måtte
hun flytte fra manden, nedtrappe sit medicinforbrug og sam-
men med en børnepsykiater eller psykolog søge at hjælpe
sønnen til en normal tilværelse.

Man havde utvetydigt fortalt hende, at sønnens problemer
indiskutabelt stammede fra faderen, at han egentlig reagerede
normalt på en afsindig tilværelse. At det var totalt uansvarligt
at sende ham hjem til de samme forhold, der kunne sammen-
lignes med åndelig mishandling. Og at sønnens tilstand kun
ville blive værre under de bestående forhold.

Le tænkte, er der noget valg i en sådan situation?

Anne sagde: – Du vil nok ikke mene, det er noget valg, du

vil helt klart vide, hvad jeg bør gøre.

Men jeg aner det ikke. For jeg kan ikke finde ud af, hvor meget jeg egentlig holder af min søn. Og jeg ved, at jeg elsker min mand. Jeg ved, – eller tror, – jeg ikke kan undvære ham, ikke leve uden ham. Du kan kalde mig masokist. Det er jeg muligvis. Det er der mange kvinder, der er. Men jeg elsker min mand, selvom de dage eller timer, hvor vi har det godt sammen, bliver færre og færre.

Lad være med at foreslå, som alle andre, at jeg skal tale med ham om det. Det lader sig ikke gøre. Det er forsøgt. Mange gange. Resultatet er enten et blåt øje eller en uges larmende tavshed.

Du tænker nok, han er psykopat. Det er muligt, men jeg kan ikke undvære ham.

Nu mangler jeg dit råd.

Le følte pludselig trang til at skrige ubehersket over dette helvede. Og så et godt råd.

Hun spurgte, om Anne nogensinde havde været indlagt eller på anden måde været væk fra hjemmet et stykke tid. Tænkte på den mulighed at de boede hver for sig men opretholdt en vis forbindelse uden sønnen.

– Ja, svarede Anne, da installerede han omgående en anden kvinde i hjemmet. Han kan være meget charmerende, og der er masokistiske kvinder nok.

Le fik pludselig kvalme. Mærkede at hun ikke kunne udholde denne situation, denne samtale bare fem minutter mere.

Gik ud og brækkede sig. Kom tilbage og sagde: – Anne, du har jo allerede valgt. Du har ikke brug for råd. Du håbede måske bare på en bekræftelse. Den kan jeg ikke give dig. Vil du godt gå nu.

Da Anne var gået, følte Le sig fejg, var voldsom deprimeret. Havde smidt hende ud for selv at overleve.

Jacob

*At tale åbent om sit følelsesliv
er for mange mænd en tærskel-
overskridelse af dimensioner.*

Eske Holm

Jacob kom med Marianne ved syv-tiden. De havde fulgt Kirsten og børnene til toget, Kirsten skulle besøge sin mor, der var blevet syg.

Le kunne mærke på Jacob, at han havde god tid og gerne ville snakke. Hun lavede kaffe, Marianne fik en sodavand, sad og fortalte om week-end'ens oplevelser, var glad og hyggede sig.

De sad og snakkede om Jacobs og Kirstens børn, som Marianne var glad for, og Marianne sagde: – jeg kunne nu altså godt tænke mig en lillesøster, de er så kære.

– Ja, men også lidt besværlige, smilede Jacob til hende.

Da hun var kommet i seng, gik de begge ind og kyssede hende godnat. Inde i stuen igen sad de længe tavse i hver sin ende af sofaen.

Le undrede sig: Der er noget han vil snakke om, men han kan ikke få begyndt, jeg vil nok også helst være fri, han ser for alvorlig og trist ud.

– Det var en god kronik, du skrev, sagde han.

– Det glæder mig, du synes det, svarede han.

– Jeg følte mig nu ikke ramt.

Det er nok, fordi den handler om dig blandt mange andre, tænkte hun.

– Le, orker du at snakke? Jeg har det så rædselsfuldt.

Hun nikkede. – Bare det ikke er hans ægteskab, det vil jeg så nødigt blandes ind i. Økonomi kan det vist ikke være? Arbejdet? Jacob var på rekordtid blevet redaktør på et stort forlag.

117

– Forstår du, begyndte han langsomt, som om han ikke vidste, hvor han skulle begynde, – det drejer sig både om mit arbejde, om mit ægteskab og også om dig.

Jeg afskyr hver morgen, fordi jeg skal ind på forlaget. Jeg var egentlig glad for mit job, syntes i begyndelsen det var spændende at have med bøger at gøre, at planlæggc og disponere. Men hvis du anede hvilke intriger, hvilken magtkamp, hvilke afsindige midler man bruger overfor hinanden for at komme frem, på en andens bekostning, så ville du blive chokeret.

– Hvorfor står du ikke af? spurgte hun, men tilføjede hurtigt: – nej, det er for let for mig at sige. Men har du ikke en god ven, du kunne diskutere det med? Du risikerer jo at blive kyniker, hvis du skal klare dig i det spil, og det mener jeg, ingen menneskeligt har råd til.

– Jeg har ingen, jeg kan snakke dette igennem med andre end dig, svarede han. Og du har ret: arbejdsmæssigt er det kun muligt at overleve på kynisme. Det har jeg mærket. Jeg har også drømt om at stå af. Blive lærer på et gymnasium eller lignende. Det skulle kunne lade sig gøre.

Men det næste problem er, at Kirsten er meget ambitiøs. På mine vegne. Hun vil slet ikke høre tale om det, vil faktisk ikke diskutere problemerne om mit arbejde. Hun mener jeg er sårbar og for overfølsom.

Hun har faktisk den indstilling, at på en arbejdsplads drejer de lidt mere overordnede stillinger sig om alles kamp mod alle.

– Jamen, sagde Le, – hun må da kunne forstå, at når du har det dårligt i dit arbejde, er det tid at overveje noget andet.

– Det siger du, men det mener hun ikke. Hun synes, jeg er et skvat, jeg skal gøre mig hård og slås som de andre.

Hun vil slet ikke høre tale om en almindelig lærerstilling, hun blander vældig meget prestige og ambition ind i det. Er bange for, at jeg med min holdning og indstilling ikke kommer til at avancere i forlaget. Og hvis der er noget, jeg ikke har lyst til, er det at avancere.

Jeg kan rubriceres under gruppen af mænd, der siger, min kone forstår mig ikke.

– Jacob, det kan du da ikke bare acceptere. I må jo kunne snakke om det. Det er da noget man må blive ved med at prøve.

– Vi *kan* ikke, hun skærer af.

118

– Du snakker heller aldrig om andet siger hun, – det bliver nok bedre, når du får en højere stilling og får mere at bestemme. Lad os nu snakke om noget rart.

– Måske var det forkert, at jeg bad hende holde op med at arbejde, men hun ville jo også heller end gerne. Det er bare, som om hun er gået lidt i stå. På den anden side var det jo heller ikke noget spændende job, hun havde.

Vi har snakket om, at hun måske skulle have en uddannelse. Men hun har ikke rigtig lyst.

Når jeg kommer hjem, skal vi altid bare hygge.

Og jeg er ved at brække mig over al denne hygge, hvor problemerne bare stuves af vejen. Det bliver de beklageligvis ikke mindre af, snarere tværtimod.

Som du ser, sidder jeg i saksen.

Han begyndte at græde, først lydløst med hænderne for ansigtet, tårerne løb ud mellem fingrene, gråden blev stærkere, han lå ind over sofaen, hulkende, håbløst alene med sine problemer.

Le sad stille, tænkte, – han sagde, at dette også drejede sig om mig.

Havde lyst til at tage om ham for at trøste, turde ikke, gjorde det alligevel.

Da hans hjælpeløse gråd var blevet lidt mindre, klamrede han sig til hende og fortalte, at han havde været 5 år om at finde ud af, at det var *hende,* han elskede.

– Nej Jacob, ikke det. Vi er gode venner, det er jeg glad for. Men det andet, det er for sent.

– Jeg ved det, græd han, – men du kan ikke forhindre mig i at elske dig. Jeg ved, det var min skyld, vort ægteskab ikke gik, – nej, afbrød hun, det var vores fælles skyld, hvis der er tale om skyld.

– Le, sagde han, jeg glemte at lytte, – jeg tog dig som en selvfølge, og da du blev stærk, blev jeg bange for dig. Det ville jeg ikke vise, ikke fortælle dig.

– Stærk? spurgte hun, – hvad mener du med det. Hvordan virkede jeg?

– Som i dag, svarede han, – men i dag er jeg ikke bange for dig.

Jeg ville være den stærke, den maskuline.

– Og hvordan vil stærke, maskuline mænd have, at kvinder skal være? spurgte hun, og følte at hun førte ham bag lyset,

119

forrådte ham. For hun ville vide, hvad hun havde gjort forkert i forholdet til Sten, ville vide, hvilken pige Sten foretrak.

– Du virkede alt for tit arrogant, sikker, kategorisk og for velbegavet. Jeg følte mig så latterlig og især utilstrækkelig i forhold til dig. Undertiden virkede du så affejende og ligeglad.

Jeg følte mig underlegen. Og misundelig på din sikkerhed. Det gjorde mig aggressiv. På dig, på mig selv.

Men det føler jeg mig ikke mere. Jo, jeg er nok misundelig på din måde at leve på.

– Du svarede ikke på mit spørgsmål om, hvilke kvinder stærke maskuline mænd foretrækker.

– Milde, blide, feminine, omsorgsfulde kvinder, der lytter. Og *ser op* til manden.

Det lyder skrækkelig banalt. Men det var det, jeg faldt for hos Kirsten. Hun dominerede aldrig, pludselig var det mig der kunne føre ordet, mig der havde det rigtige svar, mig der var den stærke.

Og nu er det mest en belastning.

Han græd igen.

– Le, det er dig jeg elsker. Alt det jeg var bange for, er jo kun den ene side af dig. Du lytter, du er følsom og varm, du forstår. Du gider bruge tid på at sætte dig ind i andres problemer. Og i virkeligt alvorlige situationer er du hverken kategorisk eller har svar på rede hånd. Du prøver bare at forstå.

Lidt senere, da han var holdt op med at græde, og de bare sad stille, holdt hinanden i hånden, tæt sammen, kærtegnede hinanden, rørte ved hinanden, stillede han hende et spørgsmål, som hun først ikke forstod:

– Le, hvad ønsker du dig?

Hvad jeg ønsker mig? Hvad mener han, tænkte hun forvirret. Af livet? af skæbnen? Et roligt sind, at være ukompliceret. Men først og fremmest ønsker jeg Sten.

Da det gik op for hende, at han havde lyst til at give hende en gave, tænkte hun, at det havde hun aldrig fået af nogen elsker. Det var altid hende, der havde givet: digtsamlinger, hun holdt af, hvidvin, bøger hun satte pris på.

Tænkte det uden bitterhed.

– Jeg ønsker mig en irgrøn thaisilkeskjorte, der hænger inde hos Sten Runge, tænkte hun. Den lugter nok lidt af „Nonchalance" og sikkert også af andre piger, men det gør ikke noget. Den ønsker jeg mig, fordi den for mig er blevet symbolet på lykke.

Når jeg havde den på, var det, fordi vi havde det godt sammen, eller fordi vi havde elsket og han havde fået den orgasme, der betød så meget for ham. Fordi den beviste hans mandighed, hans maskulinitet overfor mig.

Den betød også, at vi kunne snakke sammen, uden at han glemte, hvad vi talte om. Fordi jeg kun havde den på, når han ikke havde drukket for megen pernod.

– Jeg ønsker mig, sagde hun langsomt, fordi hun ikke anede, hvad hun skulle svare, – ikke noget dyrt, ikke noget af guld, ikke noget stjernebillede, men et smykke. Måske en ring. Jeg ville jo ikke have nogen vielsesring, fordi jeg syntes symbolikken var for tydelig og formen uklædelig. Men nu vil en ring kun være et symbol på sig selv, og formen kan du bestemme.

– Men iøvrigt, hvorfor skulle jeg i det hele taget have noget? sluttede hun af med et lille, lidt ironisk smil.

– Fordi jeg har lyst til at gi' dig noget, sagde han. Og der var igen tårer i hans øjne. Han tog hende ind til sig, kærtegnede hendes hals, knappede blusen op og kyssede hendes bryster.

– Kom, sagde hun og tog ham i hånden, – nu bryder jeg igen et af mine principper.

De gik ind i hendes soveværelse, klædte hurtigt hinanden af.

Han havde altid været en god elsker, men da han trængte ind i hende, var det en pragtfuld ny fornemmelse. Han var anderledes end hun huskede ham. Han gav hende orgasme og kom selv med en tilfreds stønnen. Han sov et par minutter, og det var vidunderligt at føle ham inde i sig.

Da han vågnede, ville han undskylde, at han havde sovet. Men hun rystede på hovedet og rørte ved ham, lod sine fingre glide gennem hans hår, kærtegnede hans nakke, hans ryg, hans lår, hans lem, som hurtigt blev stift, og igen fik hun denne vidunderlige fornemmelse, da han trængte ind i hende.

Ingen af dem fik orgasme denne gang.

Hun spurgte ham stille, om det gjorde noget for hans vedkommende.

Han svarede, at det ville det have gjort for få år siden, men ikke nu. Alt det der gik forud var så dejligt, at få orgasme var en vidunderlig afslutning. Men hvor den tidligere havde været nødvendig, væsentligst for at bekræfte potens og masku-

121

linitet, følte han det ikke længere nødvendigt.

Pludselig begyndte han igen at græde: – Jeg elsker dig, jeg har altid elsket dig. Vi kunne have været lykkelige. Kan vi ikke ses noget oftere, kan vi ikke ...

– Nej, Jacob, sagde hun og tog ham tæt ind til sig, tørrede hans tårer og kyssede hans våde øjne. – Nej, vi var ikke blevet lykkelige. Og dette i dag er kun *nu,* der er ingen fremtid, *kun nu.*

Da han var gået, lå hun stille og konstaterede lidt bittert, at det havde været dejligt. Men hun var også bange. Og det havde ikke hjulpet på savnet.

Da han 14 dage senere afleverede Marianne, gav han hende en lille pakke:

– Tak for sidst, sagde han stille. – Du véd ikke, hvor meget du hjalp mig.

Jeg håber, du kan lide den. Jeg synes selv, den passer så godt til dig.

Hun pakkede ringen ud. Tog den på. Så forundret på ham.

– Jacob, jeg har aldrig haft et smykke, jeg har syntes så godt om. Det er helt mærkeligt. For den er mere end en ring. Men jeg véd ikke på hvilken måde.

Hun havde altid denne grove, kantede ring på. Den mindede hende om det uforudsigelige.

Kællingeknuder

En morgen, da hun hurtigt kiggede avisen igennem før hun skulle på arbejde, så hun, at der var en kronik som svar på hendes. Læste et par afsnit, det så spændende ud.

Hun blev glad, fordi hun syntes debatten havde været for ringe, der havde været for få mænd, der havde udtalt sig eller svaret.

Det havde på en enkelt nær – et velunderbygget læserbrev fra en mand – kun været kvinder, der havde udtalt sig.

Og de mange private henvendelser havde udelukkende været fra kvinder.

Hun havde fået bekræftet, at følelsesmæssige områder i relation til mænd var et stort problem, men indtil nu var den generelle diskussion udeblevet.

Hun besluttede, fordi hun havde travlt, at hun ville læse kronikken grundigt igennem, når hun kom hjem. Tog det som noget positivt, at hun gerne ville modsiges.

Hun kendte ikke kronikøren, Knud Høj. Syntes, at titlen var både sjov og original:

KÆLLINGEKNUDER

Da jeg fornylig kom hjem efter et ophold i udlandet, erfarede jeg, at det danske (middelklasse)sprog var blevet suppleret med et nyt ord: Knudemænd.

Jeg oplevede i selskaber, at mænd enten koketterede med, at de ikke havde turdet tage slips på, for ikke at blive sat i bås, eller netop demonstrerede deres 'uberørthed', eller mod, ved at iføre sig slips, ofte rødt. Tilfældigt?

Jeg må indrømme, at dette samt bemærkninger fra mandlig side i høj grad har understreget de postulater og mange steder ret ensidige generaliseringer, Le Holm er fremkommet med i sin kronik om Knudemænd.

Det har undret mig, at kronikken så længe har fået lov til at stå uimodsagt. At ingen mand for alvor, velunderbygget og velargumenteret har tilbagevist, nuanceret eller suppleret de til tider ret grove generaliseringer, der gør nogle grupper kvinder – de der tæller (?) – til samfundets følelsesmæssige fødselshjælpere, uden hvis hjælp store grupper mænd – stadig ud fra LH's postulater – må karakteriseres som 'følelsesmæssigt invaliderede'.

Det følgende vil blandt andet være et forsøg på en tilbagevisning.

Det har slået mig, måske som noget specielt dansk, at man ofte i skriverier, der tangerer det personlige, føler sig tvunget til at tage forbehold, skaffe sig en distance, for ikke at blive sat i en bås, der hedder: „nå, sådan har han/hun det altså personligt/derhjemme". LH undgår denne fare ved at dække sig bag henvisninger til Doris Lessing: Den gyldne bog og citater fra samme, når hun postulerer.

Jeg må vel, for ikke at løbe nogen risiko, starte med en „præsentation": for det første er jeg ugift, for det andet tilhører jeg den gruppe LH vil karakterisere som knudemænd: Jeg er qua mit arbejde tvunget til at tage beslutninger, ofte betydningsfulde, ofte på egen hånd, ofte uden at kunne tillade, at alt for mange følelser, – herunder tvivl om beslutningens rigtighed, – tillades at spille en rolle. I hvert fald ikke i situationen, i selve afgørelsen.

Tvivlen om man tog den rigtige beslutning, de følelsesmæssige aspekter, kommer senere, undertiden viser de sig ved en fejldisponering, som hverken jeg eller mange andre med mig kan tillade os for mange af. Så er vi nemlig dårlige til at disponere, og de mange, som ikke kommer i den situation, er mere end parate til at overtage vort job. Og det er vi/jeg ikke indstillet på, dels fordi jeg kan lide mit job, ikke har råd, hverken menneskeligt eller direkte at miste det, dels fordi jeg mener det er nødvendigt, at mennesker, ikke nødvendigvis mænd, ofte i de omtalte situationer er nødt til at nøjes med at bruge deres viden og erfaring. Det LH lidt nedladende kalder intel-

124

lektet.

At jeg er ugift, giver mig frihed til at udtale mig om forskellige former for ægteskaber, uden at det går ud over den kone, jeg ikke har.

Jeg har det privilegium, som ifølge LH er en mangelvare, at jeg har venner både blandt kvinder men også blandt mænd, som jeg fører gode samtaler med, der går ud over det LH kalder „arbejdssnak", selvom jeg også anser disse samtaler for nyttige og nødvendige.

Og her oplever jeg nogle gange situationer, der får mig til at forstå, at mænd, for i det hele taget at kunne overleve, flygter ind i det kronikøren lidt hånligt men mest mistrøstigt, kalder at vælge det banale. Det uforpligtende.

Det har sine grunde.

Jeg tror ligesom LH, at der er forskel på mænds og kvinders psyke. Jeg tror også, det primært skyldes opdragelsesmæssige forskelle.

Men jeg tror, de fleste mennesker udvikler sig psykisk, følelsesmæssigt og intellektuelt det meste af livet. Hvis man er blot det mindste åben overfor det, der sker omkring en, er man udsat for indlæring, opdragelse om man vil, mulighed for at lære nye aspekter at kende, både hos sig selv og andre hele livet.

Det er et spørgsmål om at arbejde med sig selv, også i forhold til andre mennesker. Og det gælder både mænd og kvinder.

Jeg vil ikke benægte rigtigheden af, at selvom der er sket et skred i de tidligere noget mere konkret definerede roller og rolleforventninger, gælder det fortsat til dels kun mindre grupper i befolkningen. Det skyldes flere forhold, og det er meget enøjet væsentligst at give mænd skylden herfor.

Først og fremmest er det forholdet norm/tid, som ændres temmelig langsomt. Umiddelbart kan det undre, når man oplever, hvor hurtigt væsentlige sider af tilværelsen ændrer sig.

Men netop i en så omskiftelig tid har såvel kvinder som mænd behov for at noget i deres liv forbliver statisk, for ikke at komme i den situation, at tilværelsen enten bliver for konfus, uforståelig, ulevelig – eller smuldrer.

Det er nok grunden til, at mange mennesker har en „utraditionel indstilling" og en særdeles traditionel leveform, som de ikke tør ændre.

125

Jeg er ikke sikker på, at mænd er specielt *bange, men jeg har mange erfaringer for, at såvel kvinder som mænd, ofte de lidt ældre, og måske da især kvinderne, der lever i traditionelle parforhold, er bange.*

Og det er absolut forståeligt.

Skylden herfor har blandt andre de sikre, de velformulerende, de velbjærgede kvinder i gode jobs, som har tid til at udtale sig på mange forskellige gruppers vegne.

Jeg sagde blandt andre. *Af følgende grunde: der er andre grupper, der også har skyld, hvis det ord i det hele taget kan bruges i denne forbindelse.*

Der er grupper af mænd, som enten ikke har forstået noget af det hele, eller meget lidt eller værre: ikke ønsker at forstå noget, fordi situationen som den var – og i høj grad stadig er – passer dem bedst.

Det skyldes også en stor gruppe kvinder, som hverken fik, har eller får den samme udfoldelsesmulighed som de ovenfor nævnte „velbjærgede".

Det skyldes også, at en stor gruppe kvinder, dovne – især på det åndelige plan – ikke ønsker situationen ændret, hvilket meget nemt bliver et (stort) problem for mænd.

Det skyldes en stor gruppe kvinder, der både af hensyn til sig selv og deres mænd ønsker at opretholde status quo.

Rødstrømperne, som vist talmæssigt er en megel lille gruppe, har forskrækket mange. Selvom de har ført nogle forhold frem i lyset, som var og er nødvendige at ændre, må jeg på mange områder erklære mig uenige med dem, fordi de skader, sårer og provokerer.

Situationen er nu engang, hvad enten mænd ønsker det eller ej, at de statistisk set har de fleste jobs, og de mest betydningsfulde. Blandt andet de jobs, (undskyld udtrykket, som givetvis vil falde i dårlig jord hos LHs sympatisører) som er nødvendige for at holde samfundet så nogenlunde på ret køl, selvom det måske for tiden ikke lykkes særlig godt.

Statistisk set er situationen den, at blandt gifte kvinder har kun halvdelen udearbejde, og kun en lille del af disse heltidsarbejde.

Det har naturligvis sine grunde. Blandt andet at det hjemlige arbejde i høj grad stadig hviler på den gifte kvinde. Hertil skal føjes – stadig med statistikken som udgangspunkt – at en stor procentdel kvinder med heltidsarbejde ønsker deltidsar-

126

bejde, kortere arbejdstid, hvis de havde mulighed for det. Endelig skal det dog nævnes, at blandt yngre gifte kvinder er erhvervsfrekvensen højere end for gifte kvinder som helhed.

Heraf kan vi, inden vi går over til de mere følelsesmæssige aspekter, som er LHs primære sigte med kronikken, udlede, at kvinder ikke på linje med mænd, eller – i hvert fald i betydeligt mindre omfang – er indstillet på udearbejde som nødvendighed, som noget naturligt, hvad mange kvindesagskvinder gerne vil postulere. Store grupper kvinder føler sig ikke på samme måde som mænd naturligt *som forsørgere, eller „skaffere", som det hedder med et moderne udtryk.*

I disse år er det naturligvis til dels urealistisk at bebrejde kvinder, at de ikke søger ud på det arbejdsmarked, der ikke har brug for dem, og heller ikke for mænd, men de statistikker, jeg refererer til, stammer fra før arbejdsløshedsperioden.

Et andet argument, der lige så ofte bruges, er kvindernes manglende uddannelse. Det kan heller ikke benægtes. Men mænd uden uddannelse har altid været tvunget ud på arbejdsmarkedet.

Det primære i Le Holms kronik kan deles i nogle punkter, som jeg gerne vil diskutere, eventuelt supplere, eventuelt tilbagevise, helt eller delvis.

Men lad mig, før en gennemgang af problemstillingerne, erklære mig enig med LH i hendes beskrivelse af „det lukkede ægteskab", med dets privatisering og kvalmende tosomhed, som dog kun er „kvalmende" negativ, hvis det lukker ude, i stedet for, i gensidigheden, som kan *være absolut befordrende, at give parterne ressourcer at dele ud af.*

Ved en gennemgang af de enkelte punkter kan min oplysning om, at jeg er ugift naturligvis bruges mod mig: hvad ved han så egentlig om ægteskab m.m. Men i denne forbindelse betragter jeg det egentlig som en fordel. Jeg er ikke så personlig engageret, at jeg er blokeret af personlige problemstillinger.

Men ved betragtninger (erfaringer), og mænds og kvinders oprigtige betroelser til mig, føler jeg mig i stand til en vis grad af analyse af de ægteskaber, pardannelser og opløsninger af samme, som jeg er blevet konfronteret med i tidens løb.

1. Lad mig starte med LHs beskrivelse af „det åbne ægteskab", hvor hun meget fikst undgår at komme ind på problemer omkring jalousi:

127

De meget få gange, jeg har set det „åbne ægteskab" praktiseret, er der nogle træk, som har været så absolut dominerede, og som de fleste ægteskaber ikke, hverken i den aktuelle situation eller ud fra de forudsætninger, parterne er startet på, har kunnet leve op til. Det første krav er, at begge såvel intellektuelt som til dels også uddannelsesmæssigt og især følelsesmæssigt, befinder sig på samme niveau. Og hvor mange gør det?

Det drejer sig endvidere om, at kommunikationen, den følelsesmæssige, den seksuelle, men især den sproglige, er i total balance. Det vil sige, at eventuelle skænderier, som iøvrigt i disse forhold er sjældne, altid løses, aldrig indkapsles. Det drejer sig om, at man verbalt er ligestillet, og at man til enhver tid forstår, hvad den anden mener, eller at man hele tiden forklarer og definerer, det man diskuterer.

Det tager tid. Og hvor mange tager sig tid til det. Eller har tid til det, alle andre krav, hverdagen stiller, taget i betragtning?

Men måske drejer det sig først og fremmest om manglende jalousi. Det kan være, man med tiden har forarbejdet denne farlige, belastende, men særdeles almindelige følelse. Det kan også være, man ikke kender den. Enkelte mennesker gør ikke.

Maleren Edward Munch har sagt, at „jalousi er ikke angsten for at miste, men angsten for at dele". Og det åbne ægteskab vil nok i høj grad være baseret på, at parterne ikke er bange for at dele, fordi de er sikre på ikke at miste. Det kræver en utrolig tillid til hinanden og sikkerhed i forhold til hinanden.

Jeg forstår godt, at „det åbne ægteskab" er vanskeligt realiserbart og ekstremt.

2. Den for mig at se noget overbærende, nærmest nedladende holdning overfor de „ikke-bevidste" kvinder:

Der er næppe andre grupper kvinder, der er så hårdt ramt af kvindesag som de, der ikke tager (aktivt) del i den. De føler sig ofte med rette nedvurderet på en helt urimelig måde. Der kan anføres mange grunde til, at de ikke deltager, og de overdænges ofte med udtryk, der kan opfattes og også ofte er ment som skældsord: umyndiggjorte, barnagtige, kvindesags-overløbere, forrædere. Mange af disse kvinder er ensomme, diffuse, bange. Det er tit ældre kvinder, angste for alderen, for tendenser i tiden, som de ingen chance har for at følge med i.

128

De er opdraget i en tid, og har levet i en tid, hvor det at passe børn, mand og hjem var det almindeligste og det vigtigste. Man havde lært dem, at det var deres vigtigste opgave. Og nu får de pludselig at vide, hvor tåbeligt det var, hvor tåbelige de var. Og at det, de brugte hele deres liv på, er det andre kvinder gør efter arbejdstid. De har det hårdt, og deres mindreværdsfølelse og angst vokser og vokser.

Jeg vil senere vende tilbage til en gruppe, ældre og yngre, som udskiller sig på en måde, der kræver en særlig omtale.

3. Postulatet om mænds vigen tilbage for det tillidsfulde, alvorligt mente venskab, herunder deres formodede angst, når kvinder viser følelser:

Det er min erfaring, at mænd sjældent viger tilbage fra tilbudet om venskab, hvad enten det tilbydes fra mænd eller kvinder. Mænd er bare mere uvant med venskab med kvinder, og det er nok noget mere almindeligt, at der i et venskab mellem mænd og kvinder i en del situationer kan opstå en erotisk tiltrækning.

Det kan give problemer: man kan tænke sig, at kun den ene part ønsker et erotisk forhold, hvilket i høj grad vil belaste og som regel ødelægge et eventuelt venskab. Man kan også forestille sig at begge føler sig tiltrukket seksuelt af hinanden, men at de, af frygt for komplikationer i forhold til eventuelle ægtefæller eller af troskab i forhold til samme, er nødt til at afbryde forholdet, fordi de ikke kan eller tør overskue de konsekvenser, der kan blive følgen af et sådant forhold.

Hvorfor skulle mænd iøvrigt føle sig forpligtet følelsesmæssigt, fordi kvinder viser deres følelser? Har det ikke strejfet LH, at der dels er kvinder, man ikke føler sig tiltrukket af og ikke ønsker et venskab med. Og at en vis gruppe kvinder, af grunde, som mænd ikke har (ene)ansvaret for, i deres følelsesmæssige udbrud virker så frustrerede, overvældende og indeklemte, at flugt og afvisning er den eneste mulighed? Den situation gælder ikke blot mænd men også andre kvinder.

4. Postulatet om at kvinder generelt taler bedre sammen end mænd:

Der har altid været kvinder, der har ført gode, indholdsrige, givende samtaler med hinanden.

Jeg vil ikke benægte, for det ved jeg for lidt om, at der er flere, der kan og gør det i dag. Men der er også mange, nu som altid, der snakker uden at sige noget.

Det er da muligt, at man på en eller anden måde har fået sat den kvindelige samtale i system. Det er ikke så hånligt ment, som det måske lyder, for det er indiskutabelt, at den verbale kommunikation er det vigtigste redskab i forholdet mellem mennesker.

Men jeg vil vove at påstå, at særdeles mange mænd taler udmærket sammen, også om livsnære problemer, også på et ikke abstrakt men jordnært plan.

5. Kvinders ønske om at solidarisere sig med mænd. Det opfatter jeg i høj grad som diskutabelt, måske især fra kronikørens side, måske fordi det virker alt for abstrakt. Solidaritet er nok i høj grad afhængig af den enkelte situation og af, hvad vi skal være solidariske om.

Naturligvis er det da absurd, hvis kønsforskelle skulle medføre usolidarisk holdning. Men hvem påstår det?

6. Postulatet om mænds lethed ved at afbryde et forhold. LH giver nærmest indtryk af, at hun opfatter det som afstumpethed og kynisme. Hun udleder deraf, at kvinder er mere trofaste i deres kærlighedsforhold og mere inderlige. Skal jeg forstå det derhen, at de elsker mere, og dybere? Måske. Jeg er langt fra sikker. Og hvis, tror jeg, kvinder kan lære en del af mænd.

Kvinder er i høj grad tilbøjelige til at måle et kærlighedsforholds intensitet på dets varighed, men behøver de to ting at have noget med hinanden at gøre? Langt fra altid.

Et kærlighedsforholds intensitet kan måske netop være betinget af, at det kun varede den ene nat. Jo, her er en væsentlig forskel, mange mænd er nok i høj grad indstillet på impulsivitet, hvor en del kvinder er indstillet på kontinuitet, aftaler.

Denne forskel slog mig ved gennemlæsning af Erica Jongs bog „Luft under vingerne" i følgende citat. Den mandlige hovedperson siger: „– og jeg vil elske dig så voldsomt, som jeg på nogen mulig måde kan, og så gå fra dig." Jeg ser intet suspekt, men megen ærlighed i en sådan udtalelse. Hvis det nu var det eneste manden følte, han kunne give eller havde lyst til at give?

Jeg ved, hvad mange kvinder nu vil tænke. Dette er MANDENs forsvar for det uforpligtende forhold. Det såkaldte engangsknald, og så videre til nye erobringer. Men det er ikke tilfældet.

Mænd kan føle sig nøjagtig lige så hengivne, lige så ønsken-

de en fortsættelse af den gode erotisk-følelsesmæssige oplevelse som kvinder. Men ikke altid. Og kvinder ønsker det vel heller ikke altid. Men en forskel er måske den, ovennævnte forfatterinde kommer til i slutningen af sin bog. Et citat, der er lærerigt på mange felter og som også fører over i det, jeg afslutningsvis vil anføre som kritik mod LH.s kronik:

Erica Jong siger: „Det var det jeg altid havde villet have. En mand, der skulle komplettere mig. Men det var måske det mest bedrageriske af alle mine selvbedrag. Folk kompletterer ikke hinanden ... Vi kompletterer os selv. Hvis vi ikke har styrke til at komplettere os selv, bliver vores søgen efter kærlighed en søgen efter selvudslettelse og så prøver vi på at overbevise os selv om at selvudslettelse er kærlighed."

7. Som sagt, citatet fører direkte over i det postulat om mænds ensomhed. Ja, der er mange ensomme mænd. OG MANGE ENSOMME KVINDER.

Mange mennesker er ensomme i deres ægteskab eller parforhold fordi de forveksler kærlighed bl.a. med tryghed. En tryghed, som de ikke kan være sikker på, fordi den er baseret på den anden part.

Der findes utroligt mange „dårlige" ægteskaber. Langt de færreste opløses ved skilsmisse. Folk bliver sammen, af hensyn til børn, af angst for ensomhed, en ensomhed, som kan være langt stærkere i ægteskabet, af sociale grunde, af medlidenhed med den anden. Man fastholder hinanden ved trusler, med sygdom osv. og forpester dagligt tilværelsen for hinanden. Hvorfor? det er svært at angive grunde, også fordi problemernes opståen sjældent kan tidsfæstes, de udviklede sig bare, langsomt men sikkert.

Skulle man angive grunde, kunne en af dem være dovenskab, af åndelig art. Jeg har oplevet alt for mange ægteskaber, hvor den hjemmegående husmor uden de alt for mange arbejdsmæssige forpligtelser ikke har andet at fortælle end lidt huslige genvordigheder, mens han på sin side kan gentage arbejdsmæssige oplevelser, hun har hørt til bevidstløshed. Kan det undre, at han synes, hun har udnyttet dagen tåbeligt? Og at han keder hende?

Eller hende, der bruger kvindesag og kvindeåret til hverken at gøre sig særlig nyttig hjemme eller ude. Skal han kunne juble over det?

Eller hende, der ustandselig demonstrerer sin utilstrække-

lighed, sit „forfaldne" ydre, som hun giver tiden og hans (mis)brug af hendes „bedste år" skylden for, i stedet for at gøre lidt ved det selv.

Et andet problem er den manglende kommunikation. Alt for mange par taler til hinanden, meddeler hinanden et eller andet, i stedet for at tale sammen.

Og hvor man dog keder sig sammen.

Kan man i disse forhold fortænke manden – eller for den sags skyld også kvinden – i at flygte ud i det, der temmelig nedladende kaldes det banale, det uforpligtende?

Ordene i citatet om selvudslettelse som substitut for kærlighed er lige så væsentlige som de er almindelige. Og selvudslettelsen er ofte en demonstration, tavs, men tydelig, med undertonen: og efter alt, hvad jeg har gjort for dig.

Eksempler på, hvorledes folk udadtil demonstrerer en vis form for lykke eller ejendomsret, indadtil nærmer sig en form for helvede, er utallige.

Jeg tror, en af de væsentligste grunde er mangel på kærlighed, som folk anser for en tilstand, som enten er der eller ej, og ikke som et arbejde, der dagligt skal udføres.

Jeg tror vel ligesom Le Holm på et frugtbart samarbejde, men først må jeg vide mere om, og forstå, hvad det er, kvinder egentlig vil.

Symptomatisk for hendes kronik er, at ordet kærlighed ikke er nævnt.

Måske tager hun det som en selvfølge, måske viger hun tilbage for det. Kan muligvis ikke definere det. Men forholdet mand-kvinde kan ikke lykkes uden kærlighed.

Da hun havde læst kronikken tog hun spontant telefonen og ringede til ham.

Præsenterede sig, sagde, hun syntes kronikken var god, håbede, der nu kunne komme en debat igang.

Han sagde, (god telefonstemme konstaterede hun), at han også havde læst hendes kronik med interesse, måtte naturligvis give hende ret i en hel del, men det havde han vist også skrevet, men at han syntes, hendes generaliseringer var for stærke.

Hun svarede, at det lød nok som et selvforsvar, men at hun havde resigneret på undtagelserne, for at få det, der for hende var hovedproblemerne til at stå skarpere, og så tydeligt, at man ikke fortabte sig i detaljer, men fik en dialog i gang om det hun mente var det væsentlige: Mænds angst og isoleren sig, en farlig tendens der i visse situationer resulterede i, at også kvinder isolerede sig, resignerede på samarbejdet med manden.

Og, som en ny tendens, hun følte var begyndende, at netop de bevidste kvinder, hun talte om, i stedet for manden foretrak barnet eller børnene, på en anden og ny måde, end i den tidligere kærnefamilie. Hvis man skulle tale om opdragelse, var det på et helt andet og bevidst plan end tidligere, fordi børn var fremtiden, og skulle påvirkes til en anden levevis, mere følelsesbetonet, og der fik manden kun en lille eller ingen indflydelse.

– Naturligvis, sluttede hun af, – er det kun små grupper, og tendenserne ikke særlig synlige, men de er der og vil blive stærkere. Jeg forstår det på en måde godt, og selvom jeg ikke umiddelbart er enig i den holdning, kan jeg i mange situationer heller ikke være så uenig. Og så har manden tabt voldsomt, på et område, hvor han i forvejen står svagt.

– Det lyder spændende, og også uhyggeligt, hvis du har ret, svarede han. – Det har jeg lyst til at snakke mere om.

Men der er et andet punkt, jeg synes, du kom for let over, du har ikke omtalt og ikke defineret kærlighed.

– Ja, det skrev du.

Jeg har ikke haft tid til virkelig at tænke det igennem, men naturligvis har jeg tænkt over det før. Bergmann definerer det som noget i retning af at give hinanden lov til at være børn og voksne på en gang.

– Nu springer du over, hvor gærdet er lavest. Det er ikke Bergmann eller en andens definition jeg vil have, men din, blandt andet for at forstå, hvad du mener med dine beskrivelser af parforhold.

Men hvad siger du til at gå ud og spise middag med mig? Så kan vi diskutere videre.

Du behøver ikke at spekulere på, om du påklædningsmæssigt matcher, selvom du nok ikke kan lade være; men du forpligter dig til at komme med din egen definition på kærlighed.

– Det stiller større krav end påklædningen, men jeg vil gerne, svarede hun, – selvom det er er ny situation: Fremmed mand møder fremmed dame, der medbringer brugbar definition. På kærlighed. Og hvis jeg ikke kan, eller den ikke passer dig?

– Så får du kun forretten, grinede han – eller også snakker

vi om noget andet, eller du spørger bare, om ikke jeg så vil definere i stedet for. Og så når vi sikkert frem til desserten.

Hvad siger du til fredag? Jeg henter dig klokken halvsyv, medmindre du bor i Herning.

Hun svarede, at hun for at gøre det lettere for ham boede i Skovlunde, at hun ville være klar, når han kom, og gav ham adressen.

Han spurgte, om hun havde nogle yndlingsrestauranter, hun svarede, at hun hellere end gerne ville lade ham bestemme.

– Det er da egentlig et sjovt arrangement, sagde han: Vi véd intet om hinanden, kun at vi er uenige på nogle punkter, enige på andre. Og da du ikke bor i Herning, behøver jeg ikke at møde op på Hovedbanegården med rød rose eller hvid gardenia i knaphullet.

– Til gengæld skal jeg møde op med en definition. Det er ikke den rene spøg. Men jeg synes også, dit forslag er skægt, i hvert fald har jeg ikke prøvet det før. Problemet opstår, hvis vi bestiller hele menuen, som du har stillet mig i udsigt, og så keder hinanden til døde allerede under forretten.

– Vi kan gøre et af to, svarede han og lo – vi kan bestille én ret ad gangen eller koncentrere os i tavshed om maden. Men mon det bliver et problem. Din stemme lyder i hvert fald spændende.

– Det kan du ikke slutte noget af, sagde hun i en belærende tone, – jeg er en selvhævdende, dominerende ... – Stop! sagde han. Det finder jeg selv ud af. Vi ses på fredag.

Hun fortalte Lene om den sære invitation, hun havde sagt ja til.

– God ide, svarede Lene, – men forelsk dig ikke i ham. Jeg har også læst kronikken, og jeg er sikker på, at han er en knudemand.

Alene indledningen om at komme hjem fra udlandet, hvor han har – eller tror han har – truffet vigtige beslutninger. Han ved, hvad han vil. Og hvad han ikke vil. Han virker på mig – stadig ud fra kronikken – selvsikker, overlegen, og ganske givet i mange situationer nedladende.

– Hør, det er sjældent, at du udtaler dig så fordomsfuld på så korte præmisser, svarede Le. – Han lød meget sød i telefonen. Og interesseret i det jeg snakkede om.

– Ja, svarede Lene, – det var nok også dumt af mig. Men af

en eller anden grund irriterede hans stil mig. Og jeg ville bare advare dig, selvom jeg godt ved – også fra mig selv – at det er umuligt.

Jeg kan bare ikke akceptere, hvis du skal have endnu et nederlag, som du kalder det. Jeg er uenig med dig i brugen af det ord. Jeg synes, det er de andre, der lider nederlag.

Men det er dig, der føler det, og dig der lider under det.

Og det gør du lidt for tit.

Hvis der er noget jeg ønsker er det, at du skal være lykkelig. Det lyder meget højtideligt, men det er så mærkeligt med dig og mig, at bortset fra Andreas er du den, jeg føler mig mest knyttet til.

Og hver gang du bliver skuffet og ramt i et kærlighedsforhold, føler jeg det uretfærdigt, at du ikke ligesom jeg har et sikkerhedsnet spændt under, fordi jeg har Andreas.

Også fordi jeg ikke ved, hvordan jeg vil reagere, når jeg selv bliver skuffet, hvis jeg ikke havde Andreas, der trøster og prøver at forstå.

Det er jo ofte samme type, som forelsker sig i os og vi i dem.

Jeg ville så gerne, at du havde et holdepunkt, og at du psykisk blev mere stærk. Men jeg ved ikke hvordan.

Det er ikke overfladiskhed eller kynisme jeg mener, for så var du ikke dig.

Men nok, at du vurderede dig selv højere. Og at du indser, at du er så værdifuld og givende i dig selv, at du ikke følte forkastelsen som dit problem, men som den andens.

– Lene, det er rørende af dig. Men forstår du, jeg ved for det første ikke, om du har ret, for det andet har jeg tænkt det meget igennem.

Måske er jeg bedre rustet, når jeg er lige så gammel som du, og måske har jeg ovenikøbet fundet et sikkerhedsnet, en Andreas.

Men indtil da har jeg dig og også Morten som min sikkerhed.

– Jamen det er ikke nok.

– Måske ikke helt.

Men der er noget andet, som er lige så vigtigt. Noget vi tit har talt om og begge arbejder på. Det stod iøvrigt i hans kronik. Jeg tænker på Erica Jong-citatet om at komplettere sig selv.

135

Det bliver for mig den vigtigste opgave. Selvom det er vanskeligt, og ofte synes umuligt. Og der også deri ligger en fare. Og muligt en ensomhed.

Men det med Sten tvang mig til at gøre en slags status. Dels fordi jeg er rædselsslagen for depressionen, dels fordi jeg opdager, at jeg er ved at blive bitter på tilværelsen: hvorfor fanden skal det altid ske for mig!

Det er noget med at stille mindre forventninger. Jeg håber jo altid, når jeg engagerer mig – og det gør jeg alt for hurtigt – at dette skal blive lykkeligt.

Og så skaber jeg alt for ofte en drømmeperson. Og det kan den arme mand jo ikke gøre for.

Der er noget andet, som er vanskeligt, noget, jeg virkelig må arbejde med og tvinge mig selv ud i: Det er blandt andet noget så banalt som ikke at turde ringe til en mand, jeg er interesseret i. Af angst for afvisning. Enten: hvorfor skulle jeg egentlig være til ulejlighed ved at ringe? Hvorfor skulle det ikke netop være en kompliment, at jeg gjorde det? Eller: skaffe tilstrækkeligt psykisk mod til at klare afslaget. Jeg betaler jo alligevel prisen, fortryder jo ikke, at jeg engagerede mig. Og vil de psykiske nedture være så forskellige?

Det er noget med at se realistisk på situationen, i stedet for at håbe på, at noget sker. Eller ikke sker.

– Pas nu på, du ikke sætter dig selv på for store opgaver, sagde Lene.

– Ja. Men det er også noget med at øve sig selv i at forstå, at når det drejer sig om et kærlighedsforhold, og selvom situationen lige her og nu er dejlig og pragtfuld, og jeg føler, der er meget, man kan give hinanden, så kan det være eneste eller sidste gang. Og så være glad hvis der alligevel bliver en fortsættelse. Men hele tiden med tanken: dette er måske sidste gang.

– Nej, du! det bliver for nøjsomt.

De sluttede samtalen med at Lene sagde: – Pas nu rigtig godt på dig selv. Og god fornøjelse på fredag.

– Tak. Og nu skal jeg jo så i gang med at definere kærlighed.

– Ja, sagde Lene, det kan godt blive vanskeligt, bortset fra, at når den er der, véd man det, og når den ikke er der, véd man det også.

Han kom præcis, og hun var klar. Hun havde taget sine sorte fløjlsbukser med røde roser på og den skjortebluse, der havde samme farve som roserne. De bukser, som Sten syntes, var så smarte. Jeg må jo bruge dem i andre situationer, havde hun tænkt, ellers er for meget af mit tøj kassabelt.

Hun så på ham og konstaterede: Han ser tiltalende ud. Han kørte sikkert og koncentreret. Var lidt ældre end hun.

– Svarer udseendet til forventningerne? spurgte han pludselig.

– Jeg havde besluttet, ikke at stille med forventninger, svarede hun.

– Det samme havde jeg, så jeg blev glædeligt overrasket.

Skal jeg nu sige „i lige måde" tænkte hun. Men hvad har udseendet med forventningerne at gøre. Hvilke forventninger?

– Har du definitionen klar? spurgte han.

De havde været tavse et stykke tid, det var svært at finde på noget at sige til en mand, man ikke kendte, og som skulle gennem fredagens trafik.

– Du får den til forretten. Den er ikke særlig original, den passer til toast med røget laks.

– Kan du lide røget laks? spurgte han.

– Nej, jeg synes, det smager for fedt og banalt.

Han kiggede hurtigt smilende på hende: – Vi skal have noget spændende, jeg er sikker på, din definition svarer til mine forventninger.

Da de havde bestilt middagen, så han på hende, spilede øjnene op og smilede: – Din tur.

Hun tog et spejl med rød plastikindfatning op af tasken og rakte ham det: – En gave fra min datter.

Han læste på bagsiden 'Love is being able to give yourself'.

Han nikkede og gav hende spejlet igen: – Udmærket. Men det er ikke det hele, vel?

– Nej, svarede hun tøvende. – Men det er en virkeligt svær opgave, du har givet mig. Når det nu skulle være mig selv og ikke andre.

Der findes mange udmærkede definitioner. Men hvad jeg forstår? Det bliver noget spredt, jeg måtte til sidst gå den modsatte vej. Tage udgangspunktet i, hvad kærlighed *ikke* er.

Jeg stødte på en sentens af en polsk forfatter: 'De stod hinanden så nær, at der ikke var plads til følelser mellem dem'.

Han lo.

– Jamen det kan bruges, hævdede Le. – Kærlighed er blandt andet at give hinanden lov til at udvikle sig, hver for sig og sammen.

Kærlighed er også at bruge hinanden uden at misbruge hinanden.

Kærlighed er for mig at se også at overvinde den *andens* angst for at blotte sig.

Måske er noget af det væsentligste at være bundet til hinanden i frihed.

Han bad hende forklare nærmere.

Hun tænkte meget på Lene og Andreas, mens hun søgte at uddybe de postulater, hun havde fremsat. Prøvede at undgå at tænke på Sten.

– Lever du selv på den måde? ville han vide. – På denne balance mellem bundethed og frihed.

Hun trak på skuldrene:

– Det kræver, at man lever sammen med et menneske, i enighed om disse påstande. Det vil i ethvert forhold kræve tid. Det er ikke noget, man bare vedtager. Det kræver et bevidst arbejde med disse problemer.

Jeg er alene. Og for at sige det mildt og neutralt, så synes jeg, at kærligheden til et andet menneske er problematisk.

Men jeg har svært ved at leve uden kærlighed.

Det blev en hyggelig aften. De talt godt sammen om mange ting.

– Lidt usikkerhed ville dog klæde dig, tænkte hun, da han kørte hende hjem. Hun var i tvivl om, hvorvidt hun ville invitere ham ind eller ikke.

– Giver du en øl? spurgte han, da de holdt ved hendes hus.

– Ja, selvfølgelig. De sad og drak og snakkede hyggeligt videre.

Da han bad hende sætte sig over i sofaen til ham, sagde hun nej. Han rejste sig og gik over til hende, tog om hende og kyssede hende.

– Du, sagde hun roligt, – det hører ikke med til vort arrangement. Jeg har ikke lyst.

Vidste egentlig ikke, om hun havde lyst eller ej. Men han tog det hele, og hende med, for meget som en selvfølge.

Således skulle en aften slutte. Hans undren viste det tydeligt. Han havde hele aftenen været sikker på, at hun gerne

138

ville i seng med ham. Le havde egentlig lyst til at diskutere, hvilke mekanismer der gjorde, at han var så sikker.

Han drak hurtigt resten af sit øl og rejste sig for at gå.

Hun tilbød at betale sin del af middagen, han tøvede et kort øjeblik, afslog og så undrende på hende.

De takkede hinanden for en hyggelig aften. Han kyssede hende let på kinden, da hun fulgte ham ud.

– Vi ses måske igen, sagde han, da han løb ned ad trappen.

Var det et spørgsmål eller.

Hun gad ikke spekulere over det. Følte sig meget træt. Og var glad for at ligge alene i sin seng.

Besøg hos Sten

Mandschauvinismen har fået et mere
lyrisk navn: følelses-imperialismen,
og der skal en stærk og tålmodig kvinde
til for at nedbryde fordomme, der alle-
rede er lavet intellektuel jargon på.
                                    Eske Holm

I begyndelsen af maj fik hun brev fra Sten: Kære Le, tak for digtene. Både stilen og smagen faldt mig meget vel tilpas. De to digte du særlig fremhæver er lysende. Kærlig hilsen. Sten.
Hun opdagede, at hun rystede på hænderne. Det er et varmt brev, det er til mig, konstaterede hun halvhøjt. Hun holdt så meget af ordet lyse, gamle pastor Jensen havde sagt det om hende, nu sagde Sten det om hendes yndlingsdigte.
Hun konstaterede – lidt selvironisk – at hun var lysende glad og besluttede at ringe til ham; men overvejede, om hun skulle vente et par dage, følte det ville være imod hendes na-tur, ringede sidst på eftermiddagen. Hun takkede for brevet.
Konstaterede endnu engang, at de altid var mest afslappet overfor hinanden telefonisk, i hvert fald var hun det, forstod ikke hvorfor.
Pludselig spurgte han: – Hvad laver du, bortset fra at snak-ke i telefon?
– Ikke noget, men glæder mig over at tale med dig. Pause.
– Hvis du har lyst, så kom.
– Det vil jeg gerne. Kan det passe dig i løbet af en time?
– Ja, kom bare, når du kan.
Hun lagde røret og følte sig som en film, der blev spillet i et for hurtigt tempo: Vaske hår, ringe Annike, om hun ville hente Marianne. I bad, lægge make-up, bestemte sig for de sorte bukser med roserne og en sort skjortebluse, en let ulden frakke, håret var tørt, så sig selv i spejlet tilfreds med udseen-det, rystede på hænderne, en stesolid, en ekstra cigaret.
Han lød rolig og afslappet i telefonen, fortalte hun sig selv,

140

hvornår finder jeg ud af, hvorfor jeg er så bange for ham?

Hvorfor var jeg mindst bange for ham første gang, hvorfor tiltog angsten?

I dag er jeg specielt bange. Men det skyldes nok, at jeg ikke aner, hvorfor han vil se mig igen.

Men jeg er bange. Som for en lærer jeg holder af og har alt for megen respekt for. Som var han min far, og jeg havde gjort noget forkert. Jeg var så sjældent bange for min far. Det er ikke det. Det er mere end både angst for en far og en lærer.

Hun havde en mærkelig vane med at tale højt med sig selv, når hun var alene. Især i bilen. Hendes far havde haft samme vane, hun kunne sidde stille og lytte, vidste godt at han blev forskrækket og flov, hvis han opdagede hun var der, men hun nød altid den måde, hvorpå han fremlagde et problem for sig selv for derefter at tage en beslutning. Han endte som regel en tankerække med et klart ja eller nej, og smilede tit undskyldende, når han fik øje på hende.

I bilen derind mindede hun sig selv om sin beslutning om, altid, eller så vidt muligt, tilføjede hun, at betragte invitationer som noget, der kun drejede sig om denne gang.

– Intet håb om endnu engang, sagde hun til sig selv, – nyd det i aften, men vent ikke en næste gang, og ingen dagdrøm i anledning af i aften, uanset hvordan den forløber.

De mænd – og Sten mindst af alle – kan jo ikke gøre for, at du dagdrømmer om dem og omformer dem til følelsesmæssige mennesker, der forstår, hvad du ønsker og håber.

Hun ringede på og han lukkede omgående op.

– Du ser dejlig ud, konstaterede han, tog hendes frakke, kyssede hende, hængte frakken på bøjle.

Pludselig tog han hende varmt ind til sig, omfavnede hende, pressede sin krop ind mod hende og hviskede: – Nu har vi da vist også savnet hinanden længe nok.

– Ja, seks uger, svarede hun, – og det var din ide. Jeg forstod aldrig, hvorfor vi skulle savne hinanden.

– Hvorfor egentlig?

Han rystede på hovedet, ville ikke svare.

De gik ind i stuen, han holdt hende i hånden, de satte sig i sofaen, han drak hvidvin.

Hun så på hans hånd, tog den anden og sagde, – du har så smukke hænder. Undertiden bilder jeg mig ind, de kan ud-

141

trykke det, du ikke siger.

Han trak hænderne ud af hendes, sagde noget om, at de var svære at holde fri fra pletter, når man malede.

Skulle det mon forstås sådan, at når de var mest hvide, var det tegn på, at han ikke kunne arbejde?

Hun sagde smilende, at hun var sikker på, de også var smukke med maling på, det var formen, de lange smalle fingre hun holdt af.

Han rystede lidt overbærende på hovedet, som havde hun sagt noget vrøvl.

Hun tænkte, – var jeg igen for åben, for direkte, skulle jeg have afventet. Sagt noget ligegyldigt, pludrende, i stedet for.

Tænkte, hvordan finder jeg min rolle, vi – jeg – kan jo ikke finde ud af hvornår det er rigtigt at vise initiativ, hvornår det kan opfattes anmassende.

Men at tale om hans smukke hænder, uden at nævne hvor afsindigt jeg har savnet dem, kan da kun være en kompliment uden forpligtelse.

Hvorfor hele tiden denne balanceren, hvorfor kan jeg ikke finde ud af det, hvorfor siger han aldrig noget der ligner det jeg siger eller har lyst til at sige. Jeg kan jo, på grund af hans tavshed eller arrogance eller afvisning, aldrig finde ud af, hvad jeg skal og ikke skal. Hvad der glæder ham og hvad ikke.

Le. Stop. Husk din beslutning. Dette er den eneste gang. Han var begyndt at knappe hendes bluse op, kyssede hende, foreslog, de gik ind i hans seng.

De elskede. Det var intenst. Hun havde en vidunderlig følelse af at være opslugt af ham, at han var i hende, om hende, hun var en del af ham, han en del af hende. Hun havde aldrig følt sig så intenst ophidset, vidste ikke om det var sekunder eller minutter eller længere tid. Hun ophørte med at tænke, med at analysere. Det var en befrielse. Tanketom, elskende, optaget af hinandens kroppe. De fik begge orgasme flere gange, kunne ligesom ikke slippe hinanden.

Pludselig kyssede han hende, – dit dejlige hår mumlede han, – jeg håber du er sulten sagde han højt, – for det er jeg.

Hun stod op, tog trusser på, han rakte hende thaisilkeskjorten, som var den hendes. Gik ud i køkkenet, begyndte at smøre mad, trak en flaske hvidvin op.

De snakkede afslappet og hyggeligt, om digtene hun havde sendt, om andre bøger.

142

Han fortalte, at han en af de første dage ville rejse til Langeland, regnede med at være der hele sommeren, bortset fra, at han nok skulle til et møde om en udstilling midt i juni.

Da han var blevet mæt – hun kunne næsten intet spise – gik de ind i sengen igen. Han tog sit glas og flasken med. Hun tog et glas vand.

De elskede igen, han var mere træt, men hun nød så voldsomt hans store krop der pressede sig ned over hendes.

Han talte ikke om pigen i Rom. Den frie. Havde ikke været i Rom.

Da han noget senere gik ud efter en ny flaske vin, opdagede hun, at hun lige nu ikke var bange for ham, at hun følte sig mere fri. Men turde alligevel ikke fortælle ham, at hun elskede ham, men havde, da de elskede mest intenst, hvisket det til ham.

Hun havde, da han sagde elskede til hende, hvisket, – elskede, hvor er det vidunderligt at blive elsket af dig.

Hun spurgte da han kom ind: – Sten, du sagde engang at vi var venner. Mener du det?

– Ja, min ven, sagde han og tog glasset og drak, – vi er venner.

– Sten, sagde hun, – nu bliver jeg barnlig, – men vil du godt gentage det.

– Ja, min ven. Han smilede til hende.

– Vi er venner. – Bare jeg vidste, hvad han lægger i ordet venskab, tænkte hun, – men i nat vil jeg kun være lykkelig.

– Sten, sagde hun noget senere, – sidst vi var sammen inviterede du mig til Langeland i sommerferien. Mente du det?

– Gjorde jeg? spurgte han, – det kan jeg ikke huske. Men selvfølgelig er du velkommen.

– Du inviterede mig til den 26. juni, men du må gerne annulere invitationen.

– Nej, svarede han, – jeg synes vi skal fastholde datoen. Det vil være godt at se dig. Vi skal naturligvis tage visse hensyn til børnene, men om natten skal vi elske. Lige så godt og dejligt som i dag.

Hun blev mere og mere tryg. Var ved at glemme sin beslutning, som hun havde repeteret i bilen: – husk, dette er eneste gang.

Da han gik ud efter mere vin, lå hun og tænkte på, hvor højt hun elskede ham på trods af, at de var så vidt forskellige.

143

Havde opdaget, at det var lettere at snakke, hvis man stillede spørgsmål, sige det man ville indirekte frem for direkte.

Sagde, da han kom ind, – Sten jeg ligger og tænker på, hvorfor jeg egentlig er så forelsket i dig, hvorfor jeg bliver mere og mere vild med dig?

– Ved du ikke, at jo mere afvisende man er overfor kvinder, jo mere vilde bliver de med en?

– Din gamle mandschauvinist, sagde hun leende, troede ikke han mente det, vidste inderst inde at det gjorde han, men ville ikke indse det.

Sagde, – hvis du mener det, håber jeg, du aldrig vil opdage, om du har ret eller ikke, når det drejer sig om mig.

Følte sig pludselig voldsomt udmattet. Han tog hende igen, fik udløsning, hun følte sig bare som krop. Faldt i søvn.

Da hun noget senere vågnede, lå han og kiggede på hende. Du taler i søvne, konstaterede han.

Hvad sagde jeg, spurgte hun, lidt forskrækket.

Komisk, men hun var altid bange for at komme til at sige noget i søvne, var bange for at røbe noget, hun ikke ville have sagt, hvis hun var vågen. At tale i søvne følte hun var at noget i hende selv forrådte en anden del af hende.

– Du sagde ja, ja, nej, nej. Det lød meget bestemt, smilede han.

– Det kan jo betyde så meget, sagde hun beroliget, – jeg må vist hjem nu.

Hun klædte sig på, kyssede ham og gik.

144

Identitetskrise

Kom og vær hos mig, når mine onde
drømme frit blomstrer videre i
mit vågne liv.

Trille

Le var i gang med at udarbejde et foredrag. Hun blev betænkelig ved titlen, havde selv været med til at udforme den, inspireret af sin kronik om Knudemænd og svarkronikken Kællingeknuder.

Hun skulle tale om „Kan vi lide hinanden", heldigvis med to undertitler, den måske mere håndterlige „Hvor står vi – kvinderne – i dag" og den mere problematiske „Kan vi forstå hinanden".

Hun lavede en masse noter, var bange for at gentage sig selv, måtte undgå citater fra Doris Lessing, som hun havde brugt, og var lidt ærgerlig over, at Knud Høj, som hun iøvrigt ikke havde hørt fra siden, havde brugt gode citater fra Erica Jongs bog „Luft under vingerne".

Skrev indledningen: Når man taler om menneskelige relationer, forholdet mellem mænd og kvinder, følelsesmæssige problemer, ensomhed, ægteskab, angst, pardannelse, opdragelse og lignende emner, sker det oftest, at tilhøreren konkluderer „Nå, sådan har hun eller den (hun/han) det altså".

Det er en af grundene til, at det har været, og for mange er, så vanskeligt at etablere den inderlige og udbytterige samtale.

For der er da ingen, der skal tro DET om mig.

Lad det være sagt nu: det turde være totalt underordnet for det følgende, om jeg er ensom, ulykkelig, angst, lesbisk, nymfoman, lykkelig, gift, fraskilt, separeret, tryg, usikker, forelsket, forsmået, fri, ufri, erotisk, frigid, eller hvad man nu kan være.

10 Le

145

Man er tvunget til at se stort på disse mere eller mindre rigtige eller sandsynlige formodninger.

Fordi det er væsentligt, at man så vidt som muligt undgår det abstrakte og taler konkret, og at man taler så personligt som muligt, ud fra sine tanker og erfaringer.

Der er mange måder at blive klogere på: man kan lytte, snakke, spørge, læse, tænke, se – og også gætte lidt.

Det følgende vil være en blanding af alt dette.

Og jeg vil bestemt anse det for ligegyldigt og forkert, hvis ikke jeg siger, hvad JEG mener, i stedet for hvad MAN måske anser for sandsynligt.

Tosset titel, tænkte hun pludselig, mens hun bragte noterne i orden. Nogen kan jeg lide, andre ikke. Og vil jeg kunne forklare hvorfor og hvorfor ikke?

Ud fra hele hendes menneskesyn skulle det være vanskeligt at holde af, ja at elske en mand som Sten, men netop han optog så stor en del af hendes tanker og følelser.

Hun tænkte på, at hun måske misforstod ham. Måske var det meste af det han sagde en angst for det personlige, et værn imod det, der er vanskeligt at bære. At skulle ændre så meget af sit menneske- og især kvindesyn var måske for meget forlangt? Det var lettere at afvise kvindesag som uinteressant end at prøve at forstå alle dens forskellige retninger og synspunkter, der ofte virker voldsomt provokerende i yderliggående politisk syn, i syn på seksualitet og i deres udelukkelse af manden.

Som om kvinder havde patent på et eller andet.

Jamen, det har de måske også.

Skrev: Jeg synes, fængselspræst Gitte Berg har ramt noget centralt, men samtidig påpeger hun en tendens, der også for mig er temmelig tydelig – og samtidig temmelig mistrøstig. Hun siger:

„Kvinder har en meget engageret måde at være sammen på. Egentlig taler vi meget nær på om os selv. Når så kvinder får udvidet deres univers, uddanner sig og kommer hjemmefra, så kan det ikke undgås, at deres meget personlige måde at angribe tingene på bliver ikke så lidt mere spændende end mændenes.

Mænd er også blevet væk for mig interessemæssigt. For i det miljø, jeg kommer – og det er jeg ked af – virker det sjovere at være sammen med piger. De taler virkelig om ting, der kommer dem ved. Det bliver ikke nogen gold, abstrakt snak om noget fjernt."

Nej, det må ikke være rigtigt, tænkte Le pludselig, – jeg kan i hvert fald ikke leve uden mænd. Hvad er så konsekvensen? At vi skal lære os deres sprog. Tale deres sprog? Vi kan måske nok, men vil vi ikke tage skade af det? Deres ofte pseudo-sprog, overfladesprog. Vil det være os? Vil det stadig være mig?

Hun fik lyst til at skrive til Sten, en form for indirekte kontakt. Savnet var konstant. Skrev:

Kære Sten – Jeg sidder og arbejder med et foredrag, le bare af titlen „Kan vi li hinanden?", kvindesag er jo ikke dit yndlingsemne. Nogle gange tror jeg, at jeg forstår lidt af, hvorfor.

For at komme dig i forkøbet, vil jeg citere Prædikeren: Der er slet intet nyt under solen.

Jeg vil blandt andet tale om kærligheden som konfliktramt, uden at jeg vil belaste dig med en definition af kærlighed. Den afhænger vel også i høj grad af de mennesker, den rammer.

Til gengæld sender jeg dig en plade af Trille: Hej søster.

Fra mit synspunkt rammer hun utrolig centralt, og selvom den måske visse steder keder dig, vil jeg bede dig om, for min skyld at lytte til teksten. Jeg vil ikke – som med digtene – fortælle dig, hvilke sange jeg sætter højest. Jeg er nok lidt bange for at blive for personlig.

Men hvis du bryder dig om pladen, eller dele af den, kunne vi sammenligne, om vi har samme eller forskellig smag. Pladen betyder meget for mig, sætter ting på plads, og en del problemstillinger i relief.

Sten, hvor var det vidunderligt at besøge dig.

Jeg tror, jeg vil svare ja til emnet for mit foredrag. Hvis du tænker dig lidt om, forstår du nok, hvorfor: tak for en helt vidunderlig aften og nat.

Jeg glæder mig voldsomt til at besøge dig i dit sommerhus. Kærligst, Le.

Fjorten dage senere fik hun svar. Skrevet på maskine. Hun anede ikke, at han havde en skrivemaskine, at han kunne skrive andet end i hånden. Og opstillingen og indholdet virkede, som var det dikteret til en sekretær:

Fr. Le Holm,
Leopardvej 99,
2740, Skovlunde

Kære Le.
Tak for dit nydelige brev. Jeg burde sikkert også takke for pladen, men den sagde mig ikke noget, virkede egentlig lettere hysterisk på mig. Vi har forskellig smag.

Jeg stikker nu af til Langeland, hvor du er velkommen til at besøge mig i sommerens løb, hvis din vej falder forbi. Med mange hjertelige hilsner, Sten Runge.

Hun konstaterede, for dog at finde et enkelt positivt punkt i brevet, at han oveni Sten Runge havde skrevet Sten med hånden.

Og, tænkte hun, *nydeligt,* det er som at få karakter på en højere pigeskole, hvis en sådan eksisterede.

Nu til Langeland, han har altså været hjemme indtil nu, men gav mig det indtryk, at han skulle rejse umiddelbart efter vores nat.

Hvis din vej falder forbi, jamen, han inviterede og udmalede hvor vidunderligt vi skulle have det sammen.

Hun ringede til Lene. Fortalte om sit eget brev, læste Stens brev højt. Havde fortalt om den pragtfulde nat og sit håb om at være kommet ham nærmere.

– Jeg trænger til et råd, sagde hun. – Jeg kan altså ikke fatte det. Hvem i al verden er han. Hvordan finder han på det. Hvordan finder jeg ham.

Lene tænkte sig længe om.

– Jeg vil gerne svare lidt diplomatisk, sagde hun, fordi du er så forelsket.

Men du må på den anden side være klog nok til at forstå, at ham finder du aldrig.

Jeg kan faktisk kun råde dig på en måde, hvis ikke du vil opgive. Gør som om du aldrig har fået det brev. Det er ikke til dig, men til en fjern bekendt, der har købt et billede af ham.

Glæd dig over, I ikke er blevet De's i den mellemliggende tid. Ignorer brevet, det er ikke sendt, og postvæsenet har i hvert fald ikke afleveret det til dig. Du har aldrig fået det.

Le læste brevet igen og igen. For at finde noget formildende, noget varmt. Men der var ikke noget.

Viste det næste dag til Morten. Han læste det igennem. – Ja, det er jo „nydeligt", kære Le. Dit brev har givetvis været for varmt, for kærligt, og det er han bange for.

Han skriver på den måde for at skabe distance.

Og der er noget, du altid glemmer. Aldersforskellen mellem jer. Du skriver, som var det til en jævnaldrende. Du glemmer, at der næsten er en generations forskel på jer. Tænk på, hvordan din far ville have skrevet.

– Han ville aldrig skrive så koldt, svarede Le.

– Nej, men måske lige så formelt. Han har lært at formulere sig på et tidspunkt, hvor der end ikke var tænkt på dig. Det gør en stor sproglig forskel.

– Jamen, Morten, han kunne godt være formel uden at være så iskold.

– Le, hvornår begynder du at forstå, at han er bange for din varme, direkte facon. Hvis du i det hele taget vil svare, så skriv til den 55årige mand han er, med alle indbyggede barrierer overfor det følelsesmæssige, som man måske nok kan sige lidt af i en seng, især hvis man er påvirket. Men som man ikke kan skrive i et brev.

– Han må da også have skrevet kærlighedsbreve engang.

Morten så længe på hende. – Det har han nok, men du ved ikke, hvordan de var formulerede.

Og, hvem siger, han vil skrive kærlighedsbreve til dig?

Hun blev mere og mere sikker på, at Morten havde ret i det, han havde sagt. Og måske især i den sidste bemærkning.

Hun var bange. Der var vist ingen tvivl om, at hun havde lagt alt for meget i den varme og kontakt hun havde følt i forhold til Sten den sidste aften.

Hun kunne mærke en begyndende depression og var bange for, at netop angsten for den fremskyndede og forstærkede den. Hun besluttede at gøre foredraget færdigt i tide, havde megen forberedelse på seminariet, fordi eksamenstiden nærmede sig.

Skrev videre:

Jeg tror ganske enkelt, at mænd og kvinder – mange i hvert fald – har helt forskellige reaktionsmønstre. Kvinder hengiver sig mere, elsker inderligere, og betaler derfor en højere pris for forholdet følelsesmæssigt. Men mænd har brug for at lære

149

inderligheden, selv om de ikke vil erkende det eller vise det.

Og vi må lære at bære afvisningen, selv om den gør os bange, rodløse, og vi ofte føler os forrådt i hengivelsen, som gør os nøgne og sårbare.

Vi skal til at arbejde med hinanden og arbejde sammen.

Vi *kan* lære at kunne lide hinanden.

Men det indebærer, at der sideløbende med kvindesag skal føres mandssag, og det bliver nok i høj grad kvindernes opgave.

Vi – det vil sige både mænd og kvinder – skal arbejde med kærlighed og følelser. Vi må indstille os på, at der ikke længere er tale om over- og underordnet forhold, men om ligestilling, i frihed. Og det er og blir en svær proces.

Og det er her og nu.

Tag din situation op lige nu. Du deler skæbne med så mange, at vi sammen kan gøre noget, ændre noget.

Kvinder er begyndt, når de føler det, at fortælle manden, at de elsker ham. Det chokerer ham ofte, og fører ofte til afvisning. Men bliv ikke træt og bange. Giv ikke op.

Der sker ofte uforudsigelige ting, der sker ofte ingenting, der sker ofte nye ting. Mænd er også tit trætte af deres mandsrolle og af forventningerne til den.

Mon det i det hele taget passer? tænkte hun. Sten vil i hvert fald ikke akceptere så meget som en linje af dette her. Hvorfor er jeg ikke stærk? Men der er måske netop en værdi i uoverensstemmelsen, i spaltetheden? Eller er det en af mine sædvanlige undskyldninger, fordi jeg aldrig er konsekvent?

Hun besluttede at følge Mortens råd: et brev til Sten, så neutralt som muligt. Og før depressionen for alvor kom.

Skrev: Kære Sten – Tak for dit brev. Jeg håber, du har det rart på Langeland, vejret er dig jo nogenlunde venlig stemt, vurderet her fra København.

Jeg savner faktisk en gang imellem at snakke med dig enten pr. telefon eller på anden måde, men det er der jo ikke noget at gøre ved. Jeg har lige – langt om længe – fået lavet mine eksamensopgaver. Det er kedsommeligt. Eksamenstiden bryder jeg mig ikke om, selvom jeg efterhånden er blevet mere rutineret og mindre nervøs. Det mest belastende er egentlig,

150

at der pludselig bliver så stor afstand mellem mig som lærer og de studerende, som jeg til dagligt stort set har et afslappet forhold til og for manges vedkommende holder af.

Det er venligt at invitere mig til at kigge indenfor, hvis min vej skulle falde forbi Langeland. Det gør den nu næppe tilfældigt, men du kan overveje, om du mente din invitation alvorligt om at besøge dig, eller om du helst er fri.

Noget andet er, at jeg synes, det kunne være hyggeligt, om du for en gangs skyld besøgte mig. Du talte om, at du skulle til et møde i København en gang i midten af juni.

Hvis du har lyst, kunne jeg invitere dig sammen med Lene og Andreas, eventuelt et par andre af mine venner til middag. Hvis du vil, kan du bare ringe. Så kan vi også snakke om, hvorvidt du foretrækker, kun at være sammen med Andreas og Lene, eller jeg skal invitere flere.

Jeg håber meget, du har lyst. Fortsat god ferie og kærlig hilsen, Le.

Skrev videre på foredraget med en tiltagende fortvivlelse. Fordi hun *mente det hun skrev*. Men hun følte det hun *oplevede* i så ringe overensstemmelse med sine meninger og sine følelser, sin måde at leve på.

Skrev senere i foredraget:

Vi må arbejde på at få et mindre forkvaklet og mere afklaret syn på krop, alder og seksualitet. Det er som om vi har meget svært ved at komme ud over en resignation i forhold til 4 faser i denne problemstilling. Og de færreste kan hente hjælp hos mændene:

Graviditeter, hvor man ofte har en fornemmelse af, at parterne fastholder hinanden med børnene. Vi har fået fri abort men denne frihed har ofte en høj pris.

Fødsel, hvor 2 børn, højst 3 er det almindeligste, men hvor fødslerne, og det eventuelle afbræk i et erhvervsforløb kan forfølge os resten af livet.

Seksualitet, hvor mænd og kvinder tit kommunikerer meget dårligt, af angst for at såre hinanden. Vi søger ofte at leve op til mænds forventninger uden at turde klargøre vore egne, vi lyver endog for hinanden, også fordi vi tit er bange for mænds angst for ikke at slå til. Her påtager vi os en trøstfunktion.

Forældelse, som vi kalder det, er et af de største problemer.

151

Der er næsten ingen grænser for, hvad kvinder udsætter sig for, for at forhale og kamouflere, at alderen på godt og ondt sætter spor. Vi er opdragede og indoktrinerede med nogle skønhedsidealer, der så typisk hører ungdommen til, at vi næppe tør erkende alderens fordele: viden, overbærenhed, indsigt.

Og at en brugt krop ofte er lige så attraktiv og spændende som en ubrugt.

Af en eller anden – forklarlig men uakceptabel – grund er det vedtaget, at vi ældes anderledes end mænd. Vi forfalder nemt til at føle os ubrugelige, og det er mentalt en af de største farer for kvinder.

Hun havde vanskeligheder med at finde en afslutning på foredraget. Men det lykkedes omsider.

Ovenikøbet temmelig positiv. Og i hvert fald mere positiv end hun for tiden følte. Havde indledt med, at al tale skulle være personlig.

– Men jeg håber jo også stadig. På trods af? Eller?

Det var fredag eftermiddag. Foredraget skulle holdes søndag. Hun gik i seng. Depressionen skyllede som en fysisk smerte ind over hende. Hun krøb sammen under dynen, nærmest i fosterstilling, gav sig hen i positive dagdrømme, som hele tiden blev forstyrret af onde tankemæssige smerter.

Angsten og utilstrækkelighedsfølelsen jog hende ud af sengen. Hun røg mange cigaretter, gik i seng igen, forsøgte at sove. Men også søvnen var ond og abrupt, hun vågnede flere gange, våd af sved, måtte skifte, vidste til sidst ikke, om hun foretrak søvnen eller vågentilstanden.

Lørdagen var et mareridt. Der var ingen piller der hjalp. Hun havde taget antabus, var bange for at miste det tag i sig selv, som muligheden for at drikke ellers medførte.

Hun havde ofte overvejet hvad det egentlig var, der skete under disse angst- og depressionsanfald. Vidste ikke, om de blev fremkaldt af ydre faktorer – det var i hvert fald ikke altid muligt at finde grunden – eller om man gav en eller anden situation skyld for at kunne forklare tilstanden, bare en smule fornuftspræget.

Der var mange aspekter omkring angst og depression, det mest belastende var, at de virkede selvforstærkende.

Angsten for angsten, angsten for smerten, som på samme

tid var fysisk og ikke-fysisk. Smerte i kroppen, i fingerspidserne, smerte ved den mindste støj.

Væsentligst angsten for, at det ikke gik over. At det på et eller andet tidspunkt ikke længere kunne kaldes et anfald, men blev vedvarende.

Depression er ikke det samme som sindssyge, prøvede hun at forklare sig selv. Men hvad nyttede det, når hun nærmest følte sig sindssyg i de perioder, selvom hun kunne opføre sig, så ingen opdagede noget.

Noget af det værste var egentlig, at hun ikke havde ord, der kunne beskrive tilstanden. At det kun lod sig meddele til andre i omskrivninger.

Kun mennesker, der selv havde oplevet det, var i stand til at forstå, også i ordløsheden. Det var en af grundene til, at Lene og hun var så knyttet til hinanden.

Hun tænkte på psykiateren, som hun havde haft kontakt med i forbindelse med sit selvmordsforsøg.

Selvmordsforsøget havde iøvrigt været meget dilettantisk. Da depressionen var ovre, måtte hun erkende, at det ikke var alvorligt ment. Vel nok overvejende et råb om hjælp.

Psykiateren havde ikke kunnet hjælpe. Lene havde, fordi hun forstod. Morten også, selvom han ikke kunne sætte sig ind i det, kun akceptere, fordi det var hende, fordi han menneskeligt erkendte forskellige reaktionsmønstre, og hjalp, når der var behov for det.

Men psykiateren. En venlig mand, der virkede, som om han selv oplevede noget lignende, men havde valgt at akceptere tilstanden og valgt bevidst at gøre problemerne små.

– Hvis det ikke er værre, havde han sagt, og kun periodevis, må man lære at leve med det og akceptere det. Det er der mange, der kan og gør.

Hun havde hele tiden følt, at han ikke tog hende alvorlig. Og det havde fået hende til at formindske problemet. Han havde fået hende til at føle sig lidt latterlig.

Forståeligt? De sad i hans kontor på hospitalet, hun tænkte på afdelingerne under dem, omkring dem, fyldt med mennesker, flest kvinder vidste hun fra statistikken, hvis problemer ofte var uløselige.

Måtte give ham ret, hendes problemer var latterlige i det perspektiv.

Men hun følte samtidig, at det ikke var forklaringen på

153

hans holdning. At han ikke tog hende alvorligt, var et værn, en måde at distancere sig på, ikke kun overfor hende, men overfor alle, overfor problemer.

Fordi han vidste, at tilværelsen ellers kunne blive uoverskuelig, ikke til at leve.

En forståelig forsvarsmekanisme overfor patienter, hvis problemer han ikke kunne løse og for noget i ham selv han var bange for?

Hun havde konsulteret ham nogle gange, havde fået piller med irriterende bivirkninger: vægtforøgelse og sved, var nærmest konstant våd, sveden drev ned over ansigtet, ned over kroppen, hun måtte skifte bluse flere gange dagligt.

Da han ikke kunne huske dosering og nedtrapning fra gang til gang, havde hun sat pillerne ned hurtigere end foreskrevet. Og – til hans lettelse? – erklæret sig rask.

Hun huskede en gang, da de havde diskuteret arvelighedsrisiko. Han havde smilende sagt, at det var ikke noget at spekulere på, der var kun 11 % chance for arv.

– Men hvad, hvis man tilhører de 11 %, havde hun spurgt. Så er det andet en ringe trøst.

Han havde ikke svaret.

Hun havde valgt for fremtiden at klare det selv. Det andet føltes for banalt. Og det var lykkedes.

Ved hjælp af piller fra sin praktiserende læge. Havde iøvrigt måttet skifte læge af den grund.

Havde holdt mest af den første, men hans idealistiske tro på, at piller kunne undgås, hvis man talte om problemerne og ændrede de „uheldige" omstændigheder i sin tilværelse, var i hendes situation ikke særlig relevant.

Hvordan ændre sin psyke. Og hvad var i hendes tilfælde „uheldige omstændigheder"? I hvert fald ikke noget, han kunne ændre.

På det punkt var hendes nuværende læge bedre. Han skrev piller ud, selv om det var små doser ad gangen, og man skulle være så irriterende taknemmelig og finde sig i en moralsk formaning hver gang.

Han glædede sig over prisstigningerne, det skulle nok afholde folk fra at spise for mange.

– Ja, tænkte hun, – de der ikke har råd til at betale. Og de har nok endnu mere brug for dem. For deres livssituation er vanskeligere, og hvem kan ændre den?

154

Hun var på den anden side irriteret over, at nervepiller var nødvendigt for hende i perioder. I pressede situationer.

– Men så længe jeg har hold på det, trøstede hun sig selv, – så længe jeg kan administrere det, og det ikke er et dagligt behov.

Men i dag hjalp pillerne ikke. Og dagen var endeløs. Marianne var heldigvis hos Jacob.

Heldigvis var nok et spørgsmål. Ofte tvang forpligtelsen overfor Marianne hende til at skjule, hvor forfærdeligt hun undertiden havde det.

Hun vidste ikke, om det var bedre at gennemleve depressionen eller være tvunget til delvis at ignorere den.

Søndag havde hun stadig denne følelse af at være sindssyg. Følte, hun stod udenfor sig selv og så på en person, der stod op, drak kaffe, tog et par stesolid, ikke for mange, for så ville hun blive sløv. Betragtede en person der klædte sig på, lagde make-up, lagde manuskriptet i en mappe, gik ud i sin bil, fandt adressen i kortet, kørte derhen.

– Du vil ikke kunne holde det foredrag, sagde hun til denne person, der parkerede bilen, fandt festsalen, gik hen til arrangørerne og præsenterede sig.

– Sindssyg, sindssyg, hamrede det i baghovedet, mens hun aftalte de sidste detaljer, talens længde, mulighed for spørgsmål osv.

Sindssyge er grænseoverskridelse, eller manglende evne til at adskille. Og jeg beviser, ved at være nået hertil, ved at stå på talerstolen, ved at holde talen, at min tilstand er det man med et vanvittigt ord kalder „indenfor normalområdet", sagde hun til en del af sig selv.

Hun kunne mærke på tilhørerne, at hun havde talt inspireret, vedkommende, havde berørt problemer, der var virkelighed for mange.

I den korte pause før hun skulle besvare spørgsmål, kom tvivlen på ægtheden og oprigtigheden. Var hun bare i god træning med at sige de rette ting de rette steder?

– Mener jeg det, jeg siger. Hvad gør jeg selv. Når jeg taler om ensomheden – det er så let – og så er det så svært. Mener jeg det, kan jeg selv udholde den?

Hvad ønsker jeg? En elsker, en mand, der virkelig forstår. Men mon ikke jeg egner mig bedst til at være alene? Er jeg sikker på det, tror jeg på det? Er det ikke en undskyldning,

155

fordi jeg er alene, fordi jeg tror, jeg fortsat vil være alene.

Vil jeg ikke gerne, helst, have et fast holdepunkt som Lene? Lader et sådant forhold sig realisere? Kan jeg realisere det?

Pludselig dukkede en erindring op. En af de mænd hun havde elsket, havde under et skænderi sagt, at hun var sig selv nok.

Hun havde bedt ham – med kold stemme – overveje, om han mente det. Efter lang tids tavshed havde han rettet det til, at hun var sig selv.

Han havde ikke vidst, at havde han fastholdt Ibsen-citatet, havde hun været stærk nok til at bede ham gå.

Siden havde hun tænkt, at når nogen brugte dette citat om andre, ramte det dem selv.

Hun måtte indrømme, at hun gerne ville realisere et fast forhold. Men vist ikke på kærnefamiliens præmisser, som hun var bange for og havde set for mange afskrækkende eksempler på, medmindre det ville være muligt for hende at leve som Lene og Andreas. Deres livsform var helt speciel, fri, uafhængig og fuld af kærlighed.

– Det burde være den almindeligste form at leve sammen på, tænkte hun, men havde ikke set eller oplevet andre realisere noget tilsvarende.

Nej, hun vidste, at hun ikke egnede sig til en almindelig form for kærnefamilie.

Beklageligvis heller ikke for kollektivformen.

– Men lader et forhold af den art, jeg ønsker, sig realisere- To mennesker, i dyb overensstemmelse, og med et liv hver for sig.

Så skal *han* jo ville det samme.

Og *ham* har jeg (endnu) ikke været forelsket i. Og ville *han* forelske sig i mig? Jeg har i hvert fald endnu ikke mødt *ham*.

– Hvem af de to personer er mig, måtte hun spørge sig selv, da hun kørte hjem: hende der holdt foredraget, hende der taler klart og engageret, og besvarer spørgsmål, undertiden humoristisk, ofte alvorligt, eller hende der er udenfor, hende hvis hoved hamrer: sindssyg, sindssyg, hende med bølger af angst, der ondt skyller henover den Le, der kun har trang til at græde, lyst til, at nogen vil trøste, hende der virker så stærk og føler sig så svag.

Depressionen og angstanfaldet stilnede af i løbet af ugen.

156

„Du har oplevet nok"

Jeg begyndte at forstå, hvorfor kvindehadere kunne fordreje hovedet på kvinder. Kvindehadere var som guder: usårlige og fulde af magt. De steg ned, og de forsvandt. Man kunne aldrig fange en.

Sylvia Plath

I begyndelsen af juni fik hun brev fra Sten. Hun konstaterede ved en hurtig optælling, at der var 8-9 slå- og stavefejl i det. Men spiritussen havde til gengæld også gjort ham mindre formel.

Der stod, at han skulle til møde i København om en ny udstilling omkring den 12.-14. juni, og at han derefter ville tage direkte til Langeland igen. Lad os aftale nærmere når dagen nærmer sig. Måske er det aller enkleste, at vi mødes hos mig.

Hvad det egentlig var, der skulle aftales nærmere, når dagen nærmede sig, var lidt uklart, men det var næppe helt urealistisk at konkludere, at hun ikke behøvede at spekulere på middag og invitation af gæster.

Hun ringede til ham den 11. og 12. Den 13. traf hun ham.

– Jeg er lige kommet fra mødet. Kom! sagde han.

Igen som en for hurtigt spillet film. Min glæde og forventning er alt for stor, konstaterede hun beklagende i bilen derind. Jeg burde lære at gøre mig mere kostbar, trække tiden ud, for en gangs skyld lade ham vente, lidt eller længe, men så ville det i hvert fald ikke være mig. Og mon ikke jeg har problemer nok med at finde ud af, hvem der er mig.

Han tog voldsomt om hende ude i gangen, begyndte at tage frakken af hende.

Hun spurgte ham: Kan du lide at være savnet?

– Ja.

– Jeg har savnet dig meget.

Han fortsatte med at klæde hende af. Sagde ikke noget,

157

hendes tøj lå i en rodet bunke i gangen. Inde i soveværelset klædte han sig af, hun lå i hans seng og betragtede hans hurtighed, han tog hende voldsomt, stadig ordløs trængte han ind i hende, fik hurtig udløsning, lagde sig ved siden af hende og faldt i søvn.

Hun lå og følte sig som krop, upersonlig. Tænkte på, om det havde været ligegyldigt, hvem der havde ringet til ham, bare det var en krop.

Tænkte: måske er han seksuelt altædende, og jeg bare i hans øjne et brugbart objekt. Og måske hende, der nåede at ringe først.

Blev lidt bange for sin egen noget kyniske tankegang, men konstaterede samtidig, at den ikke hjalp hende, ikke svækkede hendes følelser for ham.

Pludselig lo han i søvne. Han havde en smuk latter, og hun tænkte, – karakteristisk nok er det den eneste gang, jeg har hørt ham le.

Han begyndte at røre på sig, var ved at vågne. Ville have noget at drikke.

– Og du? Sig mig, holder du aldrig fri fra antabus?

– Det sker, svarede hun, men det er sjældent. Og i dag vil jeg gerne have danskvand.

– Hvorfor, spurgte han, – hvad sker der, når du drikker?

– Det går tit galt. Jeg er umådeholden, drikker for meget.

– Det gør vi vel alle, indskød han.

– Ja, svarede hun, men jeg får psykiske problemer af det, jeg bliver nemt deprimeret.

– Du får ikke psykiske problemer, eller bliver deprimeret, sagde han i en afgjort tone, – du er alt for sund og ukompliceret.

OK, tænkte hun, hvis du mener det, så lad os vedtage det. Altså: ingen psykiske reaktioner i forbindelse med mig. Jeg er en psykisk ukompliceret pige. Det har du bestemt. Så retter vi os efter det.

Pludselig spurgte han, det virkede lidt umotiveret: – Bliver du aldrig aggressiv?

– Nej, svarede hun, mens hun tænkte sig om, – det bliver jeg egentlig ikke. Men det bliver du.

– Du har ret. Hvor ved du det fra?

– Jeg ved så meget, sagde hun med et afværgende, lidt ironisk smil.

158

Han så vurderende på hende.

– Du ved meget lidt, sagde han i en overbærende tone som en far, der taler formanende til sin datter. – Men hvad bliver du, hvis du ikke bliver aggressiv.

Hun følte sig pludselig – et kort øjeblik – aggressiv, fordi han altid fik hende til at føle sig så rædsomt provinsiel og altid gjorde hende så usikker og forvirret.

– Jeg bærer nag, svarede hun, – det er ikke behageligt. For det kan jeg gøre meget længe. Jeg er bare mere sårbar, end jeg vil være ved. Det er belastende.

Han smilede, klappede hende på kinden, mens han kravlede over hende for at hente noget drikkeligt.

De lå og talte om sommerferien. Han havde nydt dagene på Langeland, glædede sig til, at børnene skulle komme. Havde fået læst en del, var endnu ikke kommet i gang med at male.

Le sagde: – Sten, nu spørger jeg for sidste gang. Vil du se mig i ferien, eller vil du helst være fri.

– Selvfølgelig er du velkommen. Hvad var det nu for en dag, vi aftalte?

– Den 26. juni, svarede hun.

– Ved du hvad, sagde han, – så lader du være med at tage antabus, og så drikker vi os fulde sammen. Det ville være så morsomt. Så vil vi drikke og elske hele natten. Og gå lange ture om dagen.

– Det med antabus vil jeg ikke love dig. Det vil jeg overveje. Det andet lyder vidunderligt.

Hun sagde: – Egentlig kan jeg ikke lide lange ferier. Jeg ved ikke, hvad jeg skal lave. Jeg duer ikke rigtig til bare at holde fri.

– Du kan jo skrive dine erindringer, sagde han.

– Er det ikke lovlig tidligt, spurgte hun.

– Du må da have oplevet nok, svarede han.

– *Oplevet nok,* tænkte hun, mens han hentede mere pernod, – hvornår har man det. Pludselig voldsomt trist: når man ikke orker mere, når man for alvor bliver bange for gentagelsen?

Han fortalte hende om en pragtfuld pige han havde mødt dagen i forvejen. Køn, ung, og – især – problemløs.

Han lå længe og fabulerede om problemløse, problemfrie kvinder, ukomplicerede.

Tror du på det? spurgte hun ham, tror du på, at du kan

159

finde den problemfri kvinde? Tror du ikke, det bare er noget, hun skjuler?

Han så på hende. – Selvfølgelig findes der problemløse kvinder. Og hvis jeg gifter mig igen bliver det med en glad fri og problemfri pige.

Han så på hende, smilede, men det var kun med munden. Var der usikkerhed, tvivl i hans øjne. Eller var det bare noget, hun ønskede?

Han kyssede hende let, hun tog om ham, hans kys blev voldsommere, de elskede, fik begge orgasme, han faldt i søvn, var meget træt, havde virket træt hele aftenen.

Hun gik tidligt, han vågnede ikke, da hun slukkede lysene i lejligheden og lukkede sig ud.

Uddrag af Le's dagbog

Spørgsmålet er også
om livet er for langt
eller for kort
og til hvad?
Det finder man vel aldrig ud af.
                              Kristen Bjørnkjær

Le havde købt en dagbog få dage efter mødet med Sten. Hun vidste med en sikkerhed, der gjorde hende bange, at han ville få en alt for voldsom indflydelse på hendes tilværelse.

Bange, fordi hun på trods af håb og forelskelse, eller måske netop på grund af sit håb og en alt for hurtigt opstået og alt for voldsom forelskelse, ikke turde tænke på de konsekvenser, det kunne medføre. Vidste instinktivt, at hvis han forkastede hende, ville konsekvenserne være voldsommere og mere uoverskuelige end nogen sinde før.

Kunne ikke finde nogen logisk forklaring på denne viden. Netop derfor måtte en dagbog være nødvendig. Forbandede en forudanelse, hun ikke ville vide af.

Havde ikke andet forsvar end denne beslutning om at skrive og analysere, hvis det var muligt.

Da hun hos boghandleren havde bedt om en dagbog, ikke en kalender, det havde hun til „officielt" og arbejdsmæssigt brug, havde ekspedienten vist hende et udvalg af fine, noble bøger, nogle med lås og nøgle.

– Nej, havde hun protesteret, det skal være en tør kontant bog.

Ekspedienten havde studset lidt over ordvalget, men forstået og var kommet med nogle bøger i stift bind med lærredsryg, der nærmest så ud, som om de brugtes til regnskaber.

Hun kunne vælge mellem rød og grøn, den blå, som hun helst ville have, var kvadreret. Havde valgt grøn. Var rødt for optimistisk?

En rød dagbog. Julegaven hun havde ønsket og fået, da hun

var en 15-16 år gammel. Den skulle rumme alle hendes drømme, håb, tanker, oplevelser og fremtidsplaner. I begyndelsen havde hun ført den meget omhyggeligt. Senere mere spredt. Ud på året havde hun læst den igennem, havde hæftet sig ved alle gentagelserne: Afmagringskuren virker ikke. Han så slet ikke på mig. Han ved ikke, jeg er forelsket i ham. Igen bænkevarmer.

Havde til slut – med en følelse af sans for det dramatiske – skrevet – bænkevarmer, bænkevarmer, bænkevarmer. Er det mit livs lod? – og brændt dagbogen.

Det havde vist sig at være en besværlig bog. På flere måder. Man kunne ikke ligge ned og skrive i den, bindet var for stift, så den lukkede sig hele tiden i.

Det var af samme grund vanskeligt at skrive på venstre side, derfor besluttede hun efter nogle sider kun at skrive på højre side.

Da de blanke venstresider generede hende, brugte hun dem til korte notater, sentenser, spørgsmål.

Hun havde først skrevet DAGBOG på bindet. Men da hun indså, at det ikke blev en dagbog, der var ofte ingen kontinuitet i datoer, hvis der i det hele taget var nogen anført, ændrede hun bogens „titel" til JEG-BOGEN.

På bogens første sider skrev hun:

Alt begynder altid et andet sted. For at jeg skal kunne forstå mig selv, skulle denne bog eksempelvis være begyndt før. Men hvornår lærer man i det hele taget at forstå sig selv? Når det er for sent?

Man fortæller mig, at man skal arbejde med sig selv, men når jeg spørger nogen hvordan, kan ingen svare.

På den anden side tror jeg det til dels er muligt. Men så må jeg vel også vide, hvad det kan bruges til.

Undertiden har jeg et voldsomt behov for tryghed. TRYGHED SOM UDGANGSPUNKT. Men da jeg ikke er Lene, for hvem Andreas er det helt fundamentale trygheds-udgangspunkt, er sammenstillingen tryghed – arbejde-med-sig-selv måske dette: jeg må finde mig selv, eller så meget i mig selv, at jeg bliver mit eget trygghedscentrum. Men hvordan?

Det sværeste er egentlig, at det der betyder mest for mig, gør mig mest utryg.

Måske skulle jeg vælge utrygheden som livsform. Eller sagt uden tåbelige illusioner: har jeg noget valg?

162

Alt dette har noget med sikkerhed at gøre. Og hvornår føler jeg mig sikker; „en indre sikkerhed" er et udtryk, jeg som regel ikke forstår. Dele af mig selv er jeg sikker på, andre ikke. Nogle opfatter mig som en sikker person. De kender mig ikke. Og jeg er bange for sikre personer.

Jeg opfatter mig som mange personer, men skulle jeg opstille en grov deling, måtte det blive „den professionelle" og den „private". Jeg ved, Lene har det på samme måde. Vi taler tit om det.

Den „professionelle" – den arbejdsmæssige – kender og forstår jeg bedst. Det er den anden, der volder mig problemer og derfor interesserer mig mest.

Ofte når jeg bliver usikker, tit i forhold til mænd, siger jeg til den usikre, vær dig selv, men altid melder spørgsmålet sig, hvem er jeg selv.

Jeg vil så gerne være til behag, men synes samtidig, at jeg er spændende nok til at jeg ikke behøver at overveje hvordan. Derfor gør jeg (for ofte) begge dele.

Mødte Sten i lørdags og dagdrømmen gik i opfyldelse. Har altid vidst jeg kunne lide ham, ved ikke hvorfor.

Et eller andet interview for en del år siden satte drømmen igang. Fra den dag var drømmen, og ønsket om at træffe ham mere eller mindre gemt i bevidstheden, fremkaldt hver gang jeg via aviser og blade blev mindet om ham.

Kan ingen realistisk forklaring finde. Vil ikke forledes til at tro på skæbne. Vidste jeg ville blive forelsket i ham.

Venstre side: en dagbog skal indeholde datoer, en jeg-bog behøver ikke.

Datoer er ofte ligegyldige. Hvad betydning har det, om jeg er lykkelig d. 21., ulykkelig den 25. Det omvendte er lige så relevant.

Datoer og tegn: efter nogen tid forstår man ikke længere selv, hvad de betyder. Hvad står en stjerne for eller et kryds. Et minus må betyde noget negativt. P. Kan betyde Per eller første eller sidste p-pilledag. Hvilken betydning har følgende sammenstilling: 21. maj, pragtfuld nat, men ingen aftale, hvis man læser det året efter?

Engang vil jeg samle alle tegn, uforståelige og forståelige og alle datoer sammen.

Jeg vil gøre ligesom radioteknikeren i den vidunderlige Böll-novelle, han samlede på pauser. Klippede dem ud af alle optagelser og satte dem sammen til et bånd. Når han virkelig trængte til det, spillede han det for sig selv. Et pause-bånd.

Jeg vil lave et kapitel, så uforståeligt, at jeg ikke behøver at læse det.

Højre side: Marianne og jeg. Hvordan formindsker jeg min skyldfølelse i forhold til hende. Eller får den forarbejdet blot så meget at den bliver tålelig, til at leve med. Jeg ved aldrig, om jeg gør det rigtige, og først når det er for sent, vil jeg opdage det. Ansvaret for et barn er næsten for tungt, fordi alting eller alt for meget vil være uopretteligt. Jeg har intet større ønske end at beholde hendes tillid, kærlighed, fortrolighed, men det er lige så meget et ønske om at værne sig mod ensomhed og fiasko.

Hun skal være fri, følsom og foranderlig. Lære at leve livet på egne præmisser. Men er ikke barndommen den dominerende faktor, når vi taler om præmisser.

Hun har Annike. Og det tror jeg er godt. Jeg tror det er nødvendigt, at et barn har mere end en mor, at bindingen ikke bliver for stærk.

Det hævdes med mellemrum, at kvindefrigørelse går ud over børnene. Det skulle blandt andet også være familienedbrydende. Hvilket utroligt vrøvl. Hvis et parforhold ikke er stærkt nok til at parterne bliver jævnbyrdige, hvad er det så værd? Det ulige forhold må i hvert fald være usundt for barnet at opleve.

I forhold til barnet løber vi ikke fra noget ansvar, men vi omstrukturerer ansvaret og byrdefordelingen. Det må ofte være til gavn for manden, følelsesmæssigt, når vi ikke længere ønsker eneansvaret for barnet. Men vi er ofte tvunget til det.

Men hvis han ikke ønsker en ny situation?

Venstre side: Det er fristende at efterligne Doris Lessing med flere sideløbende dagbøger. Men jeg tror ikke på muligheden af at holde sig selv adskilt. Hellere være splittet i én bog.

Sten. Nydelsen ved bare at sige dit navn. Sten. Bliver pludselig bange for, at dit navn er symptomatisk.

Når vi er forelskede, er bevidstheden om manden der hele tiden. Har mænd det på samme måde? Jeg tror det ikke.

164

En gang vil jeg skrive om tilværelsens primære begreber. Et af de vigtigste er flugt. Jeg har kun kendt mænd, der var på flugt fra noget, der kunne komme til at forpligte.

Vi er meget fastlåsede i den problematik der ligger i, at vi alt for ofte bliver ulykkelige og får psykiske sår, når vi hengiver os til knudemænd.

Gør vi os lige så hårde, måske kyniske, i hvert fald distancerede, sker der endnu mere skade.

Beslutter vi os for, ikke at have forbindelse med dem, for ikke at lide nederlaget og forkastelsen, afskærer vi dem fra en eventuel mulig følelsesmæssig påvirkning, og vi bliver selv ensomme af det.

Er der nogen vej ud af denne problematik?

Højre side. Min mor.

Jeg tror det er nødvendigt for forståelsen af sig selv, at forstå sin mor. Mange kvinder jeg kender, har et dårligt eller uærligt forhold til deres mor, ofte voldsomt problematisk.

Det mærkelige ved mit forhold til hende er, at selvom vi ikke forstår hinanden på ret mange punkter, jeg kan næsten ikke finde et eneste fællestræk, har vi det utrolig godt sammen.

Vi holder meget af hinanden. Det og hendes totalt accepterende holdning til mig er noget helt fundamentalt. Sådan har det altid været. En grundlæggende accept.

Lille ulogiske opofrende mor. Du lider ofte under bevidstheden om, hvor dårlig du er til at trøste, til at finde de rigtige ord, fordi du ikke forstår problemet. Bare jeg kunne overbevise dig om, at netop dit ønske om at trøste er det væsentligste. Er nok.

Min mor, der er så ydmyg overfor livet. Stiller så få krav. Bare jeg aldrig kommer til at belaste dig for voldsomt. Du forstår så lidt. Der er så lidt vi kan snakke sammen om, andet end Marianne. Men jeg elsker dig. Og du er der altid.

Venstre side: Sten. På en måde bliver du mere og mere fremmed. Og jeg elsker dig mere og voldsommere. Mærkeligt at elske et fremmed menneske.

Talte med Morten i dag. Var trist. Over Sten. Fortalte om, at jeg ikke måtte røre ham. At kysseri var tidsspilde. At jeg ikke

165

måtte se på ham. At der ingen forskel var på kvinder og mænd. Men kvinder skulle holdes hen, for at blive vildere efter manden. At min artikulation var elendig.

Morten fik nærmest latterkrampe. Det var så smittende, så jeg indså det groteske og grinede med.

Latteren varer kort.

Der er så mange kvinder, som
selvom de „har en mand"
virker som var de enlige.
Fordi de bærer
skylden,
ansvaret,
forkastelsen,
gentagelsen,
nederlaget,
kravet,
ensomheden,
forventningen
helt alene.

Hørte et foredrag i dag. Om lidelse. Nedskrev enkelte løsrevne sætninger:
Isolation er lidelse, og lidelse er isolation
den lidende er alene i sin lidelse
pinen er pauseløs
liv er udskudt død, væren er udskudt tilintetgørelse,
det ikke-værende er intet.
Og sluttelig: den ufrivillige lidelse er frygtelig.
(jeg havde lyst til, men gjorde det ikke, at spørge om, hvad frivillig lidelse var).

Højre side: Jeg bliver 30 år i dag. Har holdt det hemmeligt, hader fødselsdage. Og så skulle 30 år være noget skelsættende for kvinder. Af uforklarlige grunde er det skelsættende for mænd 10 år senere. Gad vide hvorfor. Men altså: 30 år. Jeg burde gøres status. Men gør jeg ikke det hele tiden. Og status har noget med debet og kredit at gøre. Og hvad kan det nytte, når jeg ikke ved, om jeg har noget til gode eller om jeg skylder, og til hvem.

Har set i spejlet, efter grå hår og rynker. Det fik mig til at tænke på et foredrag af Bente Hansen, hvor hun blandt meget andet talte om spejle. Om at være blandt ene kvinder og uden spejle. Hun sagde blandt andet, at vi spejler os, i spejle, i andre, først og fremmest i mænd. Derved er vi med til at objektivisere os selv. Det er vigtigt at være subjekt i stedet for objekt. Hun har sikkert ret, men kun delvis. Naturligvis er det vigtigste at være subjekt, men i gensidighed at være subjekt/objekt er godt og varmt. Betingelsen er gensidighed.

30 år og lykkelig og ulykkelig. Undertiden samtidig. Tilfreds og utilfreds, ofte på samme tid. Glad for meget, ked af det i forbindelse med andet. Det er mig. Og min spaltethed.

Min urørlighedszone. Som ingen må træde ind i. Som er helt min egen. Som jeg ville ønske, Sten følte trang til at finde. Han ville få lov til at trampe lige ind i den, men han har ikke lyst.

Status. Hvordan. Man kunne spørge om meningen. Men så længe jeg har Marianne, har jeg mening. Er der mening.

Jeg kunne begynde at overveje mit arbejde. Hvad duer jeg til. Mine litterære ambitioner tør jeg (endnu) ikke afprøve.

Hvem er jeg. Jeg er Le der tit græder. Jeg er Le der alt for ofte og alt for hurtigt udleverer mig, blotter mig.

Måske er den eneste måde at finde ud af sig selv, at finde sig selv, at forholde sig ironisk til sig selv. Distancere sig, objektivisere sig selv.

Hvem er denne lidt komiske Le, der alt for ofte lever på andres præmisser og alt for ofte foragter sig selv for det, og gør det igen og igen.

Jeg føler mig ofte fremmed for mig selv, i hvert fald dele af det, der er mig. Kan jeg ikke, eller vil jeg ikke finde mig selv? Finde ud af hvem jeg er?

Status: 30 år: Le: Jeg tror det er fornuftigt at vente til jeg bliver 40 år.

Venstre side: Erotik, hvor går vi ofte fejl af hinanden. Og hvorfor er det illegitimt, hvorfor irriterer det en mand, når man spørger: hvordan vil du helst have det. Hvordan kan du bedst lide det?

Jeg er holdt op med at spørge. Men jeg forstår ikke.

Og så var der ham, der holdt så meget af det drengede hos mig. Jeg fik håret klippet kort og gik i stramme cowboybuxer.

167

Og ham, det feminine, jeg lod håret gro og ændrede tøjvaner.
Om at ændre de ydre ting, sit ydre, og tro, det ikke ændrer en på det indre plan. Gør det?

Frygten for at være til ulejlighed.
Problemet ved at tage initiativet.
Berøringsangst. Forstår jeg hvad det er? jeg kan kun akceptere.

Akceptere, akceptere, akceptere. Hvorfor fanden gør jeg altid det?

Sten. Fra hans synspunkt er jeg – eller har været – et besværligt bekendtskab.

Og de kvinder, der akcepterer forholdene som de er.
Som vi undertiden kalder kvindesagens forrædere?
Hvad i helvede skal de gøre. Lege Nora og gå ud i livet?
hvor ingen har brug for dem?
gå hvorhen?

En mærkelig oplevelse. Bent med de blå sokker dukkede pludselig op. Han opførte sig, som om der ikke var gået over 4 år. Da han kyssede mig, overvejede jeg, hvorfor jeg lod ham gøre det. Jeg havde virkelig ikke lyst, og det slog mig pludselig, at jeg var i et tåbeligt dilemma: angsten for at virke snerpet og provinsiel var stærkere end lysten til at sige nej.
Han ville i seng med mig. Et øjeblik tænkte jeg kynisk: det skulle være for at se, om du har bibeholdt dine vaner: samleje 3 minutter ad gangen og med sokkerne på.
Marianne kom, og bremsede derved mine kyniske overvejelser. Hun krævede opmærksomhed, Bent gik. Med to afskedsbemærkninger. But we can trust each other. (Bent, jeg gider ikke engang overveje, hvad du mener). Du ringer, sagde han konstaterende. Nej, svarede jeg, – det gør du. Vidste det ikke ville ske. Stakkels fastlåste mand.

Højre side: Brev fra Sten. Der ligger meget imellem, som jeg endnu ikke magter at skrive. Men jeg bliver måske stærk nok engang. Lige nu tør og kan jeg ikke.
Sten, jeg skriver et brev til dig, som du aldrig får.

Du, elskede –

Er det kun vort sprog, der virker så fattigt, når man vil beskrive, hvor højt man elsker et menneske. Når jeg vil skrive til dig, hvor meget du betyder for mig. Eller gælder det alle sprog. Ikke fordi sproget er fattigt, men ordene for brugte og følelser så svære at formulere.

Kærlighed ligger også ofte tæt op ad medfølelse, men forstår du Sten, jeg tør ikke have medfølelse med dig, fordi du vil tro det dræber kærlighed. Og fordi du er så stolt, at du ville hade mig for en eventuel medfølelse. Selvom den var rettet mod områder af dig hvor kærlighed ikke dominerer eller udmærket kan suppleres af medleven, medfølelse.

Sten, når jeg er hos dig, er jeg bange for dig. Når vi ikke er sammen, forsvinder min angst, men kun for dig, ikke for det vigtigste i vort forhold, som i sin yderste konsekvens kan være, at du ganske enkelt ikke elsker mig.

Da du så ofte skifter væremåde overfor mig, har jeg tilbage et lille håb om, at min sidste antagelse ikke så meget er sandheden om dit og mit forhold, men mere dit værn mod følelsesmæssigt at engagere dig. I en viden om, at det koster, at det er mere krævende – men også mere givende – end det uforpligtende forhold.

Jeg har en – måske naiv – forestilling om, at du har besluttet at barrikadere dig overfor følelser, og at du uden at vi på nogen måde har talt om det – for vi taler jo ikke sammen, vi kan jo næsten ikke tale sammen, vel fordi du ikke vil, ikke ønsker mig indenfor det, du, hvis du kender ordet, vil kalde dine urørlighedscirkler. Problemet er for mig, om ingen må trænge så langt ind til dig, eller det kun er mig der ikke må.

Sten, hvis du føler noget for mig, er jeg villig til at lære at tale dit sprog. Men det indebærer måske, at du prøver at forstå lidt af mit. Vi taler ofte hver sit sprog. Men jeg tror, vi kan nærme det til hinanden. Det tror jeg i forholdet dig og mig, det tror jeg iøvrigt også generelt.

Men det er ligeså meget et spørgsmål om tid som et spørgsmål om ord. Og vil du give mig tid?

Engang troede jeg, at kærlighed kunne overvinde så meget, men tager du ikke mod kærligheden, overvinder den intet.

Og du kan med god grund svare: hvad skal overvindes.

Det kunne lyde, som ville jeg ændre dig, og du har ret til at protestere, hvorfor skulle du ændres. Og hvem er jeg, der skulle indeholde noget, der var væsentlig nok til, at du ønskede noget ændret.

Sten, jeg har bare fået den fornemmelse, at der i dig er en dybtliggende indadvendthed, som jeg i meget optimistiske øjeblikke tror, jeg kan hjælpe dig med at få frem. Det er den du skal leve på, og det vil gøre dig stærkere, så du ikke længere behøver at skjule din nærtagenhed og sårbarhed ved at reagere hård, ofte brutal og aggressiv.

At jeg elsker dig vil jeg næppe kunne finde grunde for. Har kærlighed egentlig grunde. Men skulle jeg forsøge en forklaring måtte det blive i retning af, at jeg hos dig fornemmer et voldsomt og spændende forhold, der nærmer sig uoverensstemmelse mellem dine store evner og en karaktermæssig problematik, der blokerer dig, i forhold til dit arbejde, der er en stor del af dit liv, i forhold til andre mennesker og dine følelser for dem. I forhold til mig.

Jeg tror – endnu, endnu engang – at kærlighed, varme og et gensidigt forsøg på kommunikation, både sprogligt, følelsesmæssigt og kropsligt, kan løse alt dette. Og du, hvis du forstår, eller vil give os tid til at lære hinanden at forstå, at vi sammen, som to helt selvstændige mennesker, bliver følelsesmæssigt rigere og mere givende, både i forholdet til hinanden og til andre.

Sten, der er så meget mere jeg ville skrive til dig. Men jeg er bange. For mine følelsers voldsomhed, og bange for min angst for dig, som hænger sammen med min kærlighed til dig.

Kun fordi du aldrig får dette brev tør jeg sige til dig, jeg elsker dig. Jeg ville gerne tilføje betingelsesløst, men jeg er forpligtet af andet, så det ville være usandt. Men jeg elsker dig.

Venstre side: Egentlig er det underordnet hvordan mænd er, spørgsmålet er, hvordan jeg opfatter dem.

Det er synd for mænd, alt for mange af dem er ualvorlige. Og kan derfor heller ikke le.

Grunden til, at man aldrig helt slipper eller glemmer den mand, man har været forelsket i, er måske, at han mere eller mindre har formet en i en bestemt retning, og at man lod sig, ønskede at lade sig forme. (Og det er svært at ændre igen).

170

Højre side: Jeg bilder mig ind, at det var en vidunderlig nat. Selvom han var træt. Var det andet end vore kroppe, der kommunikerede? På en måde føler jeg, at jeg bliver mere og mere nøjsom. Fordi jeg tror på tiden som eneste mulighed. Er jeg begyndt at miste troen på ordene?

Skriv dine erindringer, sagde han. Mente han det, eller var det det letteste svar, hvis mine ferieproblemer forekom ham absolut uinteresante og ikke en tanke værd.

Men fortsættelsen: du må jo have oplevet nok.

Har jeg oplevet nok. Hvad ved han om det. Han har så godt som aldrig spurgt til min tilværelse.

Hvad er nok.

NOK, NOK, NOK, ordet forfølger mig.

Mente han, det at have kendt ham – hvorfor skriver jeg datid – er oplevelse nok.

Mente han sig selv inkluderet i dette nok?

Jeg vil så gerne skrive romanen om den enlige kvinde. Med barn. Det må blive uden sociale problemer, det må være mit eget miljø, det kender jeg, alt andet ville blive uægte er jeg bange for.

Altså en igangsættende udtalelse, hvor jeg kan forene mit ønske om romanen med Stens forslag om erindringer.

På en måde den provokation jeg har ventet på. Skriv dine erindringer.

Men har jeg oplevet nok?

Måske får du ret, Sten, uden at vide det. Måske har jeg oplevet nok. Måske er resten af livet endnu flere gentagelser.

Og for mange gentagelser vil være uinteressante. I dag står gentagelsen måske i et rimeligt forhold til min alder, men om bare 10 år?

Men så kommer det etiske problem: udleveringen ved at skrive. Uanset hvor meget jeg omformer, uanset hvor megen fiktion jeg lægger som distance, vil bogen, for at have den ægthed, jeg vil kræve af mig selv og det jeg skriver, for i det hele taget at være noget værd for eventuelle læsere, rumme personer, jeg på en eller anden måde, på et eller andet tidspunkt har kendt.

Jeg ved, det ikke kan undgås. Også fordi jeg i høj grad føler mig som produkt af det samspil der har været mellem mig og de mennesker, der har haft indflydelse på mig. De har til en vis grad været med til at forme min tilværelse.

Dette etiske problem er mit helt alene. Et absolut internt, personligt problem.

Jeg behøver ikke at frygte, at jeg, hvis bogen bliver en realitet, vil være venneløs. For har jeg andre venner end Lene og Morten?

Sten sagde vi var venner. Men er man bange for en ven. Jeg vil gerne, vi er venner, men venner udleverer sig gensidigt til hinanden.

Ofte føler jeg, når vi er sammen, at vi er åndeligt De's. Er det venskab? Måske er det Stens form for venskab. Og hvis bare han mener det, vil jeg også på det punkt nøjes.

Sten, du elskede, hvis jeg får mod vil jeg spørge direkte, om du i givet fald er en del af min erindring.

Jamen, det ved du jo, at du er.

Sten, hvis jeg skriver – på din opfordring – vil du udgøre en væsentlig del af bogen. Fordi du betyder mest, om du vil eller ej. Og fordi jeg, hvis jeg gennem dette at skrive lærer at forstå dig og mig, er nået et stykke længere.

I forståelse af mig selv.

I forståelse af manden. Af mænd.

I forståelse af mænd og kvinder og fundamentale problemer i dette forhold.

Etik. Jeg kan ikke løse det. Men dette kan jeg love dig, Sten, alt hvad du måtte opfatte som en eventuel udlevering er et forsøg på at forstå. Dig som jeg elsker.

En udlevering vil være en kærlighedserklæring. Kan du ønske mere, selvom du ikke elsker mig, ikke ønsker mig?

Måske, når jeg har besøgt dig, vil jeg skrive en roman, mine erindringer, som du kalder det.

På det tidspunkt har jeg måske oplevet nok.

Venstre side: Skal til Langeland i morgen. Glæder mig alt for voldsomt til at møde Sten igen.

Er bange.

Med god grund?

Jeg tror, at grunden til, at jeg er så bange for ham skyldes, at han er i stand til at dominere mig så stærkt, *at han vil kunne få min personlighed til at gå i opløsning.*

(Her slutter Le's dagbog).

En Langelandsrejse

om kærligheden og manglen på samme
det er jo det det hele handler om
det er jo derfor vi indånder luften
det er jo derfor vi åbner døre og lukker vinduer
det er jo derfor vi skriver breve
forklarer os
smadrer genstande
hyler
bryder sammen
bevæger os
går på arbejde
det er derfor der findes 20-årige der tænker som gamle mænd
og 80-årige der handler som små børn

Peter Poulsen

Le var virkelig bange for at besøge Sten i hans sommerhus på Langeland. Klamrede sig til et håb hun havde, men som hun følte skrumpede sammen, et håb om lidt glæde, lidt varme?

Hun var spændt på at hilse på hans børn, som han havde fortalt om. Havde svært ved at forestille sig ham i faderrollen.

Han havde jo på deres „afskedsaften" så flot fastsat datoen for hendes besøg.

De havde ligget i hans seng og han havde sagt, at de da var venner, hun måtte gerne ringe, og hun skulle være velkommen i hans sommerhus til frokost kl. 14 den 26. juni.

Hun huskede, at hun, da hun fortvivlet var kørt hjem fra ham, havde tænkt at tage ham på ordet.

Men det ville alligevel have været for barokt.

Da de senere havde talt om det, havde han fuldstændig glemt, at han havde inviteret hende, men fastholdt datoen.

Le tænkte i dagene forud, hvorfor hun egentlig var så bange.

Bange for hvad? Han havde jo flere gange udmalet for hende, hvor pragtfuldt de skulle have det sammen, når hun kom.

Tænkte at det var godt, besøget lå så tidligt i ferien. Uanset hvordan det forløb, ville der være hele 6 uger, før hun skulle begynde på seminariet igen.

Hun havde iøvrigt ikke lagt planer for resten af sommerferien.

Hvad hun havde lyst til, ville nok afhænge af, hvordan besøget hos Sten forløb.

For endnu en gang at sikre sig, at han havde husket invitationen, ringede hun til ham dagen før og fik en forklaring på, hvor huset lå.

– Dit besøg imødeses med forventning og glæde, sagde han.

– Det er jeg meget glad for.

Blev pludselig lykkelig og mærkede kun angsten som en svag sitren. Hvorfor kunne hun aldrig være *kun* glad?

Tirsdag morgen afleverede hun Marianne hos Annike, der skulle i sommerhus.

Annike sagde, at Marianne kunne blive der så længe hun ville, men det kunne de snakke om, når Le kom hjem igen.

Marianne glædede sig til at skulle rejse med Annike.

Le havde bestilt færgeplads, ankom i alt for god tid, var rastløs, røg en masse cigaretter.

Gaver til hele familien havde hun købt i København. Det havde voldt en del spekulationer at vælge forhåbentlig rigtige gaver til børn, hun ikke kendte. Især gaven til den 12-årige åndssvage Malene havde hun overvejet meget.

Til Sten: vin. Så var han dejligst og rarest. Ikke pernod.

Hun havde bog og aviser med til sejlturen, men kunne ikke koncentrere sig. Sad og stirrede ud over havet, tænkte på Sten, var ude og lægge make-up, børstede håret.

Kom pludselig i tanke om, at hvis de nu opfordrede hende til at gå med i vandet, ville hendes hår blive kedeligt. Og Sten havde tit beundret hendes hår. Måtte købe hårskyllemiddel og shampo i Lohals.

Rystede på hænderne og tog en stesolid, da de nærmede sig havnen.

Hun sad lidt i bilen udenfor købmanden. Havde købt det hun manglede, også lidt chokolade, bildte sig ind, at det havde en beroligende virkning på hende.

Hun fandt nemt huset efter beskrivelsen. Blev modtaget af den unge pige, der bad hende tage plads i hyggekrogen på gårdspladsen, hvor der stod et rundt hvidt bord og nogle havestole.

Nu skulle hun hente hr. Runge.

Sten kom, skubbende den handicappede Malene i rullestol foran sig. I den ene hånd havde han et glas pernod.

Han stillede Malene ved siden af Le, gav hende hånden og sagde i en formel tone: – Goddag og velkommen.

– Det formelle skyldes nok den unge pige, tænkte Le, alle-

174

rede tør i mund og hals, – jeg er jo imødeset med *forventning og glæde*.

Sten bad den unge pige servere kaffe.

Han sagde langsomt og tydeligt til Malene, som var mere handicappet end Le havde forestillet sig, at dette var Le Holm.

Langsomt, – du ved, Malene, at jeg har fortalt dig, at hun har en datter, der hedder det samme som du.

– Ikke helt, smilede Le, – hun hedder Marianne. Ma-ri-anne, sagde hun henvendt til Malene, med tryk på hver stavelse.

Malene klappede i hænderne og udstødte nogle små gryntende lyde. Sten forstod lidt af, hvad Malene sagde eller mente. Mens det næsten var umuligt for Le.

Le gav hende gaven, en perlekæde af store farvestrålende træperler. Le kunne se, hun havde valgt rigtigt, Malene klappede i hænderne, lo gryntende og gav sig til at lege med den.

De drak kaffe. Snakken gik trægt, Sten så ud som om han kedede sig. Le anstrængte sig for at holde en slags samtale igang. Sten tilbød at vise hende huset. Sagde noget om, at det nok var lidt primitivt, men når han var alene herovre for at male var det stort nok og fungerede efter hans ønske. Børnene var der jo kun i ferien.

Sten sørgede først for, at Malene kom til at stå i skyggen. Hun legede glad med sine perler.

De startede i det lille køkken, hvor Sten blandede sig en pernod.

Selve stuehuset bestod af 3 soveværelser, køkkenet, en lille spisestue og en lang smal opholdsstue. Ja, her blir du nødt til at sove, for Malene, drengene og den unge pige sover i de andre rum. Det er faktisk også tænkt som en slags ekstra gæsteværelse.

Det sås på møbleringen, som var en briks i hele stuens længde. Iøvrigt var der et langt bord, lænestole, radio og fjernsyn.

– Briksen sover man udmærket på, konstaterede Sten.

Kostalden, som lå mellem stuehuset og laden var uudnyttet.

– Ja, sagde Sten, – jeg har aldrig rigtig fundet ud af, hvad jeg vil med den. Engang tænkte jeg på at lave værelser her, men hvad skal jeg egentlig med flere værelser. Det blir osse for dyrt. At rive den ned er ligeledes en bekostelig affære, så den blir altså stående.

De kom gennem kostalden over i laden. Det var et pragtfuldt rum. Le var virkelig begejstret og beundrede det meget. Ca. 60 kvadratmeter, mere end 4 meter til loftet, alt beklædt med smukt knastet træ, spærrene bibeholdt. Midt i rummet stod en stor, rund smedejernspejs med sækkestole og lave lænestole omkring. Rummet var ganske enkelt møbleret.

Langs den ene væg stod en gammel købmandsdisk med et utal af skuffer.

– Måske køn, sagde Sten, – men irriterende, for jeg kan aldrig huske, i hvilken skuffe jeg har lagt det, jeg skal bruge.

En smuk kiste, et lille skrivebord og stol samt staffeliet. I et hjørne stod en stor kaneseng. Et lavt bord med nogle bøger.

Det var et utroligt smukt og fredfyldt rum, domineret af træ, pejsen og sengen.

– Her skal vi elske i nat, tænkte Le glad og opstemt, – bare Sten ikke drikker for megen pernod.

Hun vendte sig mod ham, de var alene nu, ville tage om ham, ville at han tog om hende.

– Ja, det er så alt, Sten så rundt i rummet, – her opholder jeg mig mest, her arbejder jeg bedst.

– Det forstår jeg, sagde hun.

– Tag dog om mig og kys mig, tryglede hendes øjne.

Men Sten var måske bange for, at der kunne komme nogen.

– Haven er ikke noget særligt, sagde han, da de satte sig på gårdspladsen igen, – men den er stor nok.

Han hentede pernod og vand. Hvad hun ville have. Helst danskvand.

Samtalen var afbrudt af lange pauser, de snakkede mest med, gennem og om Malene.

Den unge pige kom og dækkede bord. Der var en høflig, distant tone mellem alle.

Drengene kom hjem fra stranden. Sten snakkede hyggeligt med dem, var interesseret i, hvad de havde oplevet. De hilste på Le og takkede for gaverne.

Middagen var meget lækker. Sten drak pernod og hvidvin til. Da de havde hørt alle de nyheder, radioen kunne frembringe, foreslog Sten at de gik en tur før kaffen. Malene blev kørt ind for at se fjernsyn.

– Selvom hun ikke forstår, hvad der foregår på skærmen, morer hun sig over billederne, forklarede Sten.

De gik først op på en udsigtshøj, hvorfra der var et smukt syn ud over Langeland. Man kunne se fra kyst til kyst. Solen

176

var på vej ned i havet, – næsten for idyllisk, tænkte Le.

Da de havde beundret solnedgang, bakker og dale nogen tid, gik de videre over nogle marker. Det var lunt og varmt, de mødte ingen mennesker.

– Hvornår tager han mig ind til sig, hvornår kysser han mig, hvornår siger han mon, velkommen du, jeg har glædet mig. Men selvfølgelig, der kunne komme nogen. Men gør det da noget?

Nogle steder var vejen smal, de gik bagefter hinanden, – impulsivitet og spontaneitet er jo kun noget jeg har oplevet så få gange, at de er fastholdt, tænkte hun, – resten er jo noget, jeg i optimistiske øjeblikke – fordi jeg tror, eller ved, det er der – har digtet ind i ham.

Da de kom hjem, satte de sig igen i krogen.

Sten hentede pernodflasken, vand og en danskvand til hende.

De snakkede lidt, om bøger de havde læst, om bøger de ville læse, om de få fælles bekendte de havde. Sten fortalte erindringer fra sine rejser.

Indimellem opstod der lange pauser, som Le forsøgte at udfylde. Hun prøvede at skubbe en snigende ensomhedsfølelse væk.

Sten gik ind for at gøre Malene klar til natten.

– Om sommeren er det kun mig, der må gøre det, forklarede han, varm og stolt.

Le blev siddende, tænkte på den varme Sten behandlede sine børn med, og især hvor rørende omsorgsfuld han var overfor datteren.

Tænkte endnu engang på, hvor modsætningsfuld han var.

Da drengene var færdige med at se fjernsyn, lagde den unge pige hendes sengetøj frem, sagde stuen var klar, sagde godnat.

Le hentede sin week-end-taske i bilen, stillede den hen til briksen, lagde en bog frem og satte toilettasken i badeværelset.

Ude på gårdspladsen sad Sten og drak pernod. Der stod en vand ved hendes plads. De talte lidt om det gode vejr, som de håbede holdt, hvor mildt det var, at man kunne sidde ude uden at fryse, at det i det hele taget var en fantastisk sommer.

Sten fastslog, at landluft trættede, foreslog, at de gik i seng.

Han tog sit glas og pernodflasken med over i laden.

Børnene var gået i seng, den unge pige havde forlængst trukket sig tilbage. Der lød lidt mumlen fra værelserne, men alt var stille, da Le var færdig i badeværelset.

Le gav sig god tid. Hun vidste, det ville vare lidt, før Sten hentede hende over i laden. Han ville være sikker på, at såvel børnene som den unge pige sov.

Først redte hun sin seng. Hun fandt et askebæger og stillede det hen til sengen. Konstaterede, at hun havde røget voldsomt hele dagen.

Så gik hun ud i badeværelset, tog brusebad, børstede tænderne grundigt, de var hvide, hun havde været til tandrensning, før hun skulle over til Sten.

Konstaterede, at fødderne var velplejede, havde lige været til fodpleje.

Tog deodorantstiften frem, ville ikke komme til at lugte svedigt. Børstede håret længe, så det føltes blødt og levende. Tog lidt „Nonchalance" på. Havde sorte trusser på og en natskjorte, specielt indkøbt til denne rejse. Knappede et par knapper, smilede forsøgsvis opmuntrende til sig selv i spejlet.

Gik ind til briksen, tændte en ny cigaret, åbnede bogen og forsøgte at læse, men var alt for adspredt.

Klokken 2 opgav hun at vente. Sten måtte være faldet i·søvn af al den pernod. Forsøgte at sove, vågnede kl. 3, der var så forfærdelig varmt i stuen og så mange fluer. Gik lidt rundt, prøvede desperat at læse, røg.

Klokken 4 hørte hun Sten ude i køkkenet. Hun gik ud til ham.

– Nå, kan du heller ikke sove?, sagde han, mens han tappede vand til en pernod.

– Nej, sagde hun, mens hun stillede sig hen til ham ved vasken, – der er så varmt i stuen.

– Jamen, så må vi da skaffe lidt frisk luft, sagde han og kiggede venligt-ligegyldigt på hende, gik ind i stuen, åbnede et vindue, håbede hun nu kunne sove og gik over i laden med sit glas.

Hun stod tilbage, desperat·og forundret. Følte sig først og fremmest latterlig.

Gik i seng og forsøgte at sove, et par timer var hun i denne hæslige tilstand af søvn og vågenhed, hvor man ikke vidste, hvad der var drøm og hvad der var dagdrøm.

Klokken 6 var hun alt for vågen, røg den ene cigaret efter den anden og læste side efter side uden at opfatte indholdet.

Hun stod op og gjorde sig i stand, da hun kunne høre den

unge pige var begyndt morgenarbejdet.

Hun tog et par smarte shorts på og en lang nederdel, syet af samme stof. Knappede kun en enkelt knap i nederdelen, tog fikse sko og en lille solbluse på. Alt var anskaffet til denne tur, og klædte hende godt.

Hun satte sig ud i gården med sin bog, snakkede lidt med den unge pige.

Ved ni-tiden kom børnene. Den unge pige havde lavet kaffe til hende, den stod i en thermokande. Sten kom ved 10-tiden, sagde godmorgen og spurgte, om hun havde sovet godt. Tak, det havde hun.

Hun drak megen kaffe, røg mange cigaretter, drengene tog til stranden, Malene blev kørt hen for at se på køerne på marken overfor.

De var alene.

– Sten, spurgte hun med forsigtig stemme, – hvorfor elskede vi ikke i nat?

Han så køligt-forundret på hende. – Børnene kunne jo have hørt os, drak en slurk pernod, pause, – og iøvrigt var det jo osse alt for varmt.

– Det er som om den ene af forklaringerne havde været tilstrækkelig, sagde hun langsomt og eftertænksomt, mens hun kiggede på ham.

– Ja, det kunne jeg også pludselig høre, sagde han med et smil, der ikke var noget smil. Der opstod en lang pause, som hun besluttede sig for ikke at udfylde.

Lidt senere foreslog han, at de skulle gå en tur. De gik ind i huset, han skulle lige have en pernod, inden de gik, og mente, hun skulle tage nogle fornuftige sko på. Hun lagde sin lange nederdel og tog et par flade sandaler på.

Så gik de. Først ned ad en vej, der førte til stranden, så et langt stykke langs stranden, derefter op over nogle marker, op til købmanden, hvor han købte pernod.

I begyndelsen prøvede hun at holde en samtale igang. Men diskussion og samtale gik ustandselig i stykker eller i stå, fordi han hele tiden vidste bedre, eller fordi han afgjorde en eventuel problemstilling i 2. sætning, eller fordi emnet kedede ham så meget, at han ikke gad svare.

Den smule samtale de førte, lignede til forveksling samtalen fra aftenen i forvejen.

Så valgte hun tavsheden.

Han udpegede nogle steder for hende, fortalte hvem der boede eller havde boet hvor.

Da de havde været hos købmanden, tænkte hun desperat: – Nu ryger osse den nat. Hvorfor drikker han ikke *min vin* i stedet, men det gør han jo ved siden af.

– Sten, sagde hun og gik op på siden af ham: – Jeg har en fornemmelse af, at jeg tager din tid. Jeg er jo ingen kvidrende lærkefugl. Hvor lang tid har du tænkt dig, jeg skulle blive? Jeg kan køre hjem efter frokost.

Han overvejede lidt. Så sagde han med et lille smil, at de kvidrende lærker havde de jo i luften, og han syntes, hun skulle blive til imorgen.

Pause.

Af hensyn til Malene, som var så glad for hendes besøg og havde set hen til det med *forventning og glæde.*

Hun tænkte – men det var måske først senere – at dette var sandelig uformåenhed eller følelsesmæssig fattigdom, udkrystalliseret i kynisme.

Eller et specielt raffinement.

Tænkte: Morten ville kalde det ondskab: For nu var hun låst fast. Man skuffer ikke en åndssvag, multihandicappet piges forventninger.

Da de kom tilbage, foreslog Sten, at hun underholdt sig lidt med Malene, der var lige et par ting, han skulle ordne. Han skænkede sig en pernod og gik over i laden.

Le snakkede med Malene. Det var vanskeligt. De prøvede på at få en gribeleg igang, og Le tænkte på, hvilken tragedie det var. Savnede pludselig Marianne, hendes dejlige krop, hendes spontane kærtegn, hendes kvikke bemærkninger.

Frokosten var lækker. Sten drak øl og pernod til. Hun kunne ikke spise noget.

Hun spurgte, om han fik malet noget. Han svarede nej, det blev ikke rigtig til noget for tiden.

Efter frokost fik de kaffe, Sten drak tør pernod til. Le var begyndt at tælle dem.

De blev enige om, at de var trætte og ville sove til middag.

– Så får han da sovet noget af spiritussen ud, tænkte Le med en anelse optimisme.

Hun kunne ikke sove. Varmen, fluerne, tankerne holdt hende vågen. Hun røg en del cigaretter og prøvede på at lade være med at tænke på *nu.*

180

Et par timer senere bankede det på døren. Sten stod med Malene, – der savnede hende, om hun kom ud.

Hun stod op, gik ud til de to, der var stillet en vand hen ved hendes stol. Sten sad med sin pernod. Hun forsøgte at snakke med Malene.

Middagen. Sten drak pernod og vin til, – 8. eller 9., tænkte Le trist.

De hørte radio, alle de nyheder og kommentarer der var.

Sten virkede træt, hans øjne faldt hele tiden i, han forsøgte at holde sig vågen. Ligesom i går sad de og hang over kaffen, der blev ikke sagt ret meget, Sten drak pernod.

Han livede op senere på aftenen, der var en spændende gangsterfilm i fjernsynet, som han ville se. Om hun ville se med. – Nej tak, hun ville hellere læse.

Hun sad og tænkte på ham, mens hun prøvede at læse. Konstaterede, at han tog alt, også gode ting som en selvfølge. Han lyttede ikke, gad ikke gå ind i en diskussion om et emne, der ikke var hans eget.

– Han har så fasttømrede meninger og holdninger, at dialogen omgående afskæres. Han lever jo i erindringen og gentagelsen, tænkte hun.

– Jeg er forelsket i ham. Jeg elsker ham. Er det en skygge jeg elsker? Men der er altid noget bag en skygge. Jeg kan simpelthen ikke akceptere det. Selvom jeg næsten ikke længere kan se ham for skygge.

Efter filmen fik de lidt natmad, Sten drak øl, snaps og pernod til. Han havde sørget for, at der var sprøjtet mod fluer i stuen, vinduet var åbnet.

Han tappede en kande vand, sagde godnat. Hun sagde godnat og tak for i dag. Lidt forundret svarede han i lige måde og gik.

Le tænkte 12 pernod, hvidvin, en tør vermouth, intet at håbe på. Havde et par sovepiller, som ikke virkede, lå desperat og ventede på, at det skulle blive morgen, hun måtte hjem, dette var værre, dette havde hun ikke forestillet sig, sådan kunne det ikke gå.

– Jamen Sten, tænkte hun fortvivlet, – vi elskede da hinanden for 14 dage siden. Du var vild med mig, klædte mig af ude i gangen, kunne ikke vente.

(Han kan ikke elske, Le, hørte hun Lene sige).

Jamen, se hvor kærlig han er mod sine børn, hvor varm og

181

hensynsfuld, engageret.

(Det er da også det mest uforpligtende, det mindst følelsesmæssigt krævende af alt, hørte hun Morten svare).

Kl. 9 var hun parat til at køre. Da den unge pige havde fundet ud af, at hun gerne ville afsted, gik hun over og vækkede hr. Runge.

Han kom lidt senere.

– Nå, skal du hjem? konstaterede han.

– Ja, sagde hun, tog de sidste ting, drak sin kaffe, sagde farvel til den unge pige og til børnene.

– Vi følger dig ud, sagde Sten, skubbede Malene med den ene hånd, i den anden havde han sin pernod.

Hun gav ham hånd til farvel. Tænkte, at de to gange „Goddag, Sten", „Farvel, Sten" var den eneste berøring hun havde haft med ham.

Berøringsangst, tænkte hun. – Men er det det?

Da hun ikke havde bestilt færgebillet, var hun nødt til at køre den længste vej hjem.

Aldrig i sit liv havde hun længtes så meget hjem. Lige nu følte hun sig ikke engang forkastet. Konstaterede, at hun i hvert fald ikke kunne hamle op med pernod. Hvis det var det egentlige problem.

Tænkte: han har alkoholiseret både sit seksualliv og sit talent.

Og begge dele er værst.

Tænkte, – jeg må hjem, før depressionen for alvor begynder, mens jeg endnu er klar og har tørre øjne. Om lidt begynder jeg at græde, og hvornår holder det så op?

– Tavsheden var det værste, tænkte hun. Nej, ligegyldigheden var værre. Denne fornemmelse af ikke-tilstedeværelse var ikke til at magte.

Og: – Hvis depressionen bliver rigtig voldsom – hvad skal jeg dog gøre for at forhindre den – vil jeg til sidst, på grund af denne total-ignoreren ikke vide, om jeg har været der eller ej.

En ond drøm, som er virkelighed, og som jeg til sidst vil tro er en drøm, et mareridt. For sådan *kan* virkeligheden ikke være.

Hun kørte desperat, overtrådte alle fartbegrænsninger, kom heldigvis med den første færge.

Kørte sikkert men alt for hurtigt over Sjælland.

182

– Hjem til mig selv! skreg det i hende, skreg hun i bilen.

Da hun nåede hjem, stillede hun bilen i carporten, lukkede, tog nøglen i lommen, tog langsomt week-end-tasken ud af bagagerummet, stillede den ligegyldigt i entreen og gik direkte ind i sin seng.

6 uger

Ta' mig.
Jeg er som I vil ha' mig.
Til rådighed, tilgængelig.
brugt, misbrugt,
død.

Suzanne Brøgger
(om Marilyn Monroe)

Le sov tungt. Vågnede op med angsten hamrende i kroppen. Hun havde haft mareridt. Men det at være vågen var lige så slemt.

Hun stod op og gik rundt i huset, drevet af angst. Hun kunne ikke forklare, hvad hun var angst for. Det var noget, der ikke kunne beskrives.

Hun havde tit tænkt på det forfærdelige, der lå i, at når man var midt i angsten, kunne man ikke beskrive den, fordi angst blokerer. Når angstanfaldene var overstået, kunne man ikke beskrive det, fordi man ikke længere kunne huske fornemmelsen. Kun angsten for angsten var tilbage.

Hun havde drømt, at Sten var ved at drukne hende. Hun sad fastklemt i en beholder, og Sten blev ved med at hælde pernod ned over hende. Hun råbte om hjælp, prøvede at kravle op ad beholderens glatte sider, appellerede til Sten om hjælp, men han fortsatte med at hælde væske over hende.

Hun vågnede, da hun var ved at blive kvalt i pernod.

Da angsten og den voldsomme hjertebanken tog lidt af, lagde hun sig igen i sengen. Hun tænkte over drømmen.

Det gik pludselig op for hende, at hun brugte hans spiritusforbrug som en undskyldning. Sandheden var værre: Han brugte alkohol som et værn imellem dem, en distance. Han var stærk nok til forbruget, men han ville ikke, at hun kom ham nær. Og det han havde sagt og glemt igen på grund af pernod, var det, han ikke gad huske.

Hvad var det hun ville ham? Ændre ham? Give ham ømhed og varme?

Hun begyndte at dagdrømme. Om Sten, men det var en anden. Hun tænkte indimellem på det farlige ved at dagdrømme. Virkelighedsflugt, som det var sværere og sværere at løsrive sig fra.

Men virkeligheden var for voldsom, i hvert fald lige nu.

Hun tænkte videre på verdens mest absurde sætning: „Tag dig nu sammen". Når det netop var det, der var problemet, at man ikke kunne.

Hun var holdt op med at tage antabus. Besluttede at gøre noget aktivt, ville prøve at fortrænge tanken om Sten, hvis det var muligt, ringede til købmanden og bestilte øl, hvidvin, snaps.

Hun kunne ikke drikke ret meget, fordi hendes antabus endnu ikke var helt ude af kroppen, så hun sløvede sig med nervetabletter.

De følgende dage lå Le bare i sin seng. Huset så ubeboet ud, telefonstikket havde hun taget ud, hun magtede ikke at snakke med nogen. Og hvem kunne trøste?

Hun drak øl og snaps, søgte at finde en påvirkningsgrad, så tankerne til dels blev sat ud af drift. Det lykkedes kun delvis.

På trods af drikkeriet havde hun også vanskeligt ved at sove, hun blev hele tiden vækket af drømme, som enten var nærgående i deres skarphed, eller som hun uden at kunne huske indholdet af, vidste og følte var skræmmende.

En eftermiddag ringede det på døren.

Le var noget beruset og besluttede, ikke at lukke op. Men ringeriet fortsatte, og Le opgav sin beslutning, også fordi dørklokkens kimen smertede.

Det var Lene.

Hun havde haft en fornemmelse af, at Le var hjemme. Selvom der var en teoretisk mulighed for, at besøget hos Sten var så vellykket, at det havde trukket ud, anså Lene det kun for at være teoretisk. Hvis Le efter et kort vellykket besøg var taget op til Annike i sommerhuset, ville hun have ringet. Alt tydede derfor på, at besøget var mislykket, og at Le gemte sig.

Det var ikke muligt at føre en fornuftig samtale med Le, som blot hele tiden gentog – jeg har ikke været der, jeg har ikke været der.

Lene fik hende i seng, holdt hende i hånden, strøg hende beroligende over håret og ansigtet og fik hende til at sove.

Lene ringede hjem til Andreas, satte ham ind i situationen, vidste ikke, hvornår hun kom hjem, Le havde brug for hende,

185

og hun satte sig til at vente.

Le sov nogle timer. Lene bemærkede, hvor urolig søvnen var, følte tydeligt, at Le drømte voldsomt og ubehageligt.

Le vågnede, satte sig forvildet op og stirrede undrende på Lene. Hun var våd af sved. Lene fandt rent nattøj til hende. Le var nu ædru og virkede dybt fortvivlet.

– Hvordan gik din tur til Langeland, Lene stillede spørgsmålet så neutralt som muligt, vidste, at dette var nødvendigt at snakke igennem, med så mange detaljer som muligt.

– Det gik meget godt. Le lignede et såret dyr.

– Altså dårligt. Eller hvad mener du?

Le begyndte at græde. Først lydløst, tårerne strimede ned over kinderne, senere gik gråden over i en trøstesløs hulken. Lene tog hende ind til sig. Sad og holdt om hende. Holdt fast og vuggede hende blidt, som var hun et lille barn. Langsomt stilnede denne voldsomme gråd, der tydeligere end ord fortalte om mislykkethed og nederlag.

Lene gav hende en beroligende tablet og sagde – fortæl mig så meget du vil og kan om hvad der skete.

Le fortalte, søgende efter ord, afbrudt af gråd.

– Det værste, sagde hun famlende, – nej, der var to forhold, der var det værste. Det ene var, at jeg ikke var der. Han så mig ikke, slet ikke. Jeg havde hele tiden fornemmelsen af ikke at være til stede.

Så totalt ignoreret som jeg aldrig har oplevet før.

Men forstår du, det er ikke sandt. Vi konverserede. Vi sad timevis sammen ved bordet, vi gik ture. Men jeg var der ikke.

– Jeg tror jeg forstår, hvad du mener, sagde Lene. – Og du elskede og håbede stadig, i stedet for at tage hjem.

– Det andet, Le famlede igen med ordene. – Jeg kunne ikke tage hjem, han låste mig fast. Du ved, jeg har fortalt dig, at han har en handicappet, åndssvag datter. Sygere end jeg havde forestillet mig.

Le begyndte igen at græde voldsomt. Erindringen var for stærk. Men langt om længe fik hun fortalt om sin angst for, at Sten havde glemt deres aftale, eller fortrudt. Om sin opringning. Om hans lidt højtidelige ord: *Dit besøg imødeses med forventning og glæde.*

Om hvor glad hun var blevet over denne sætning. Og så dette, da hun havde foreslået at tage tidligere hjem, at det ville skuffe datteren, der havde imødeset hendes besøg med for-

186

ventning og glæde.

– Og så følte du dig fastlåst, konstaterede Lene, – for du kunne ikke finde på at skuffe et åndssvagt barns forventning. Selvom han havde formuleret sig på en måde, så du *kun* kunne få opfattelsen af, at det var *ham* der glædede sig til at du skulle komme.

Le nikkede.

– Åh, den idiot, sagde Lene.

– Nej, græd Le, – det er han ikke. Han kan ikke gøre for det. Måske mente han det, da han sagde det i telefonen. Jeg ved det ikke. Men jeg tror han er ulykkelig. Han er begyndt at tvivle. På sit talent. På sin tilværelse.

– Jeg ved ikke hvad han er, svarede Lene, – men jeg ved at han med sin kolossale grovhed har gjort dig dybt ulykkelig. Mere ulykkelig end han selv har følelse nok til at blive. Jeg har svært ved at føle ret megen medlidenhed med ham, sålænge han tramper så voldsomt på dig.

Hvem fanden tror han, han er, siden han tillader sig en så hensynsløs, nærmest umenneskelig grovhed. Har du egentlig tænkt på, hvor lavt han vurderer dig, at han egentlig kun regner dig for en brugbar krop?

– Han ville ikke engang i seng med mig, svarede Le med næsten uhørlig stemme.

Lene sad længe tavs.

Endelig sagde hun: – Og også *det* var du ked af, også der følte du dig forkastet, for du håbede vel til det sidste, at kunne I ikke kommunikere på anden måde, så kunne jeres kroppe løse lidt op for alle knuderne, ikke?

Le nikkede.

– Spurgte du ham, hvorfor han ikke gik i seng med dig? Men han gav vel ingen begrundelse.

– Jo, varmen og børnene, hviskede Le.

– Og en af begrundelserne havde været nok, konstaterede Lene, – og varmt har det været hele tiden, og børnene vidste han var der, da han inviterede dig. Og han havde fablet om, hvor pragtfuldt I skulle have det, når først børnene sov, ikke?

Le, nu *skal* du høre efter mig, jeg har sagt det før og jeg mener det meget alvorligt, du er ved at være ude, hvor du ikke kan bunde.

Han er ved at ødelægge dig, selvom han måske ikke vil eller véd det.

187

Nu må du holde op med at prøve på at forstå, men blot konstatere, at du ikke betyder noget for ham.

Jeg siger det, fordi jeg ikke tror ham i stand til – som du har krav på – at tage noget alvorligt, at nogen, bortset fra hans børn, betyder noget for ham.

For at bruge et af Andreas' udtryk, så har han på et eller andet tidspunkt taget skade på sin sjæl.

Og derfor er du ikke varme og kærlighed for ham, for det tør han ikke. Du er en fare, som han garderer sig imod.

Jeg kan alt for tydeligt se det for mig. I siddende sammen, i timevis, væsentligst talende med eller talende gennem et dybt åndssvagt barn, der glæder sig over lidt adspredelse, som kunne være alt andet end netop dig.

Havde du taget antabus?

Le nikkede – jeg turde ikke andet.

– Altså, han med sin evindelige pernod, du med din evige danskvand. Han tiltagende fuld, du tiltagende ædru. Alene det har virket provokerende.

Le, alvorlig talt, håber du stadig?

– Nej, græd Le, – men jeg må finde en forklaring, jeg kan ligesom ikke magte det uforløste, det ubesvarede.

– Du spurgte ikke?

– Nej, kun om hvorfor vi ikke gik i seng med hinanden. Han smilede, koldt, da han svarede. Jeg følte det, som havde jeg spurgt en fremmed mand, jeg tilfældigvis sad ved siden af i et tog.

– Fejlen ved alt dette, Le, Lene talte langsomt, ledte efter ord, der var overbevisende uden at være unødigt stødende, – fejlen er den ganske enkle, at du fortsatte forholdet, efter at han stoppede det første gang.

Du har ham i den ene sætning, at man skal – underforstået *han vil* – stoppe mens legen er god. Han mente det han sagde. Både at stoppe. Og at det var en leg. Og at den var god. Ikke dårlig, som du på et tidspunkt troede. Netop god. For ham vil et forhold til en kvinde altid være en leg. Så højt – eller lavt om du vil – regner han os. Det må ikke være andet end en leg. Lege forpligter ikke.

Din forelskelse, din kærlighed derimod, og dine forventninger til ham gør ham bange, og piller ved noget, som han har besluttet, skal være urørligt, og fastcementeret. Og han kan ikke tale om det.

– Lene, du glemmer, at det var mig der ville det. Mig der provokerede dette forhold frem, mig der ringede og traf aftaler, jeg bød mig til.

Og måske er han så gammeldags, at en sådan optræden får ham til at vurdere mig lavt. Ingen har sagt det, men nogen måske tænkt det ... I hans øjne er jeg måske – ud fra de forudsætninger han har, sammenlignet med min opførsel – ganske enkelt en gratis luder.

Og ludere vurderes jo ikke særlig højt, for at sige det mildt, hverken af hans eller vor generation. Dem knalder man, når man har lyst.

Og de har ikke krav på forklaring, hvis man ikke har lyst.

– Eller ikke kan, tilføjede Lene tørt. – Han drak vel pernod det meste af dagen. Du talte dem, og håbede på trods af al fornuft. Men jeg tror hverken på forklaringen med luderen eller på de mange pernod. Drikkeriet har kun været et ekstra værn.

Det gælder dig, lige nu. Men en anden kvinde, der lige som du tilbyder kærlighed, følelse, varme, vil efter min mening opleve det samme.

Uden at have været der, uden at vide noget, vil jeg prøve at fortælle dig, hvad der er sket.

Du ankommer, forventningsfuld, og det kan du ikke rigtig skjule, selvom du er meget diskret, af hensyn til den unge pige, af hensyn til hans børn.

Han mærker din forventning. Din glæde. Og det føler han som et krav. Noget, som han ikke kan leve op til. Det bliver til lukkethed, kulde, aggression.

Måske mente han al fabuleren om, hvor dejligt I skulle have det, når du besøgte ham.

Men det har han enten glemt, eller det kan tænkes, at din forventning, – jeg kan se dig komme, strålende og glad – har blokeret ham. Selvom det skulle være en leg, véd han pludselig, at han ikke kan opfylde din forventning.

– Jamen, indvendte Le, vi kunne have snakket om det, så havde det ikke gjort noget.

– Nej, I kunne ikke snakke om det; han kan nemlig ikke snakke om noget, der har med følelser at gøre. Derfor må han flygte, og søge tilflugt i pernod, i kulde, i overfladisk snak eller tavshed. Han er alt for fattig, både hvad ord og følelse angår til at tale om det.

189

Og selv om Sten kunne, hvad jeg ikke tror han kan, tror du så han ønskede, at du skulle forstå?

Prøv da at indse, at det er hans helt private følelseskolde måde at fortælle dig på, at du ikke rager ham en kæft.

Le græd. – Jeg ved jeg har tabt, hiksede hun frem, – det gør jeg hver gang. Jeg burde snart have lært af erfaringen. Men den har jeg aldrig kunnet bruge til noget.

Jeg er så træt, vil du godt gå nu. Jeg vil helst være alene. Jeg har jo vidst det hele tiden, men du har sat det på plads. Og det er bedst sådan, men det gør ondt.

– Jeg går straks, svarede Lene, – men hvad vil du nu? Hvad vil du bruge sommerferien til?

– Jeg ved det ikke. Han har jo foreslået, at jeg skulle skrive mine erindringer. Jeg har jo oplevet *nok,* som han så rammende sagde.

Men for øjeblikket har jeg kun lyst til at ligge i min seng.

– Du har ikke oplevet nok Le, hvad er det dog for en kynisk bemærkning. Du har kun oplevet nok negativt.

Og du må ikke bare gå i seng. Du skal ud og opleve noget.

Hør, vi tager til Bretagne som du ved. Vi kører i morgen. Jeg synes du skal tage med. Der er plads nok i huset. Hent Marianne og tag med.

– Lene, det er venligt af dig. Men jeg kan ikke. Jeg må se at komme over det. Men jeg er så deprimeret, som jeg aldrig har været før.

– Netop derfor skal du tage med. Så kan jeg tage mig af dig, vi kan snakke, og du kan snakke med Andreas om det.

– Nej du, Le græd, – det her må jeg klare alene. Rent bortset fra, at jeg vil være en belastning for alle.

– Du ved godt, Le, at du ikke vil være en belastning for os. Dertil kender vi hinanden for godt. Du kan ikke ligge alene her. Du trænger til hjælp. Og jeg bliver nødt til at rejse.

– Jeg er nok ovenpå, når du kommer hjem. Le forsøgte at få stemmen til at lyde optimistisk, men det lykkedes alt for dårligt. – Lene, lad mig være alene, jeg har det bedst sådan. Og tak, fordi du fandt en nogenlunde rimelig forklaring på hans opførsel.

Det havde været endnu vanskeligere, hvis du kun havde været fordømmende.

Han har det så vidt jeg kan skønne – han siger jo ikke noget – ad helvede til. Og mit værste problem er, at jeg stadig

190

elsker ham. Uden håb. Men hvordan visker man følelser ud?

Lene blev, til Le igen var faldet i søvn. Forinden havde hun lagt sin ferieadresse på Le's bord. Opfordret hende til at komme senere, hvis hun ikke fik en bedre idé for resten af sommerferien.

Lene skulle være væk i 5 uger. Og hun var alvorligt bekymret for Le.

Da hun kom hjem, ringede hun til Morten. De skulle også rejse om et par dage og være væk hele sommeren. De havde lejet hytte i Norge. Morten lovede at besøge Le, inden de tog af sted.

Lene ringede til Le's mor og satte hende så skånsomt som muligt ind i situationen.

Omtalte ikke Sten, var sikker på, at Le ikke havde nævnt ham for hende. Fortalte egentlig kun, at Le havde en voldsom depression og trængte til, at der var nogen til at tage sig af hende.

Lene gav moderen adressen i Frankrig og bad hende overtale Le til at køre derned sammen med Marianne, når hun fik det lidt bedre. Rådede moderen til at sørge for, at Marianne blev et stykke tid hos Annike. Dennegang var depressionen så voldsom, skønnede hun, at den ikke kunne skjules for datteren.

Moderen lovede at tage ud til Le hurtigst muligt. Lene overvejede et øjeblik, om hun skulle fortælle moderen om Le's tidligere selvmordsforsøg. Men lod være. Ville ikke bekymre moderen mere end nødvendigt.

Morten dukkede op hos Le tidligt næste morgen. Le havde taget et par snapse for at dæmpe sit angstanfald.

– Jeg har talt med Lene, sagde Morten på sin ligefremme facon, – det er vist det man kalder et håndkantslag.

– Morten, Le så spørgende på ham. – Jeg forstår det ganske enkelt ikke. Det havde været så enkelt at finde en undskyldning og aflyse. Det havde været ligetil. Og uden den brutalitet, jeg føler, han udsatte mig for.

– Du ved, Le, at jeg ikke forstår ham. Og at jeg aldrig har kunnet fatte, hvad du så i ham. Hvordan du kunne forelske dig i ham. Jeg håber kun, at denne sidste brutalitet gør det lettere for dig at komme over det.

Le så fortvivlet på ham. – Forstår du, jeg kan ikke bebrejde ham andet, end at han ikke aflyste. Alt andet er jeg selv ude

191

om. Det var mig, der bød mig til.

– Ja, det ved jeg du også sagde til Lene. Men det var ham, der tog imod. Du har i hvert fald givet langt mere end de smuler, du har fået.

– Nej, sådan kan man ikke regne det ud. Det var i gensidighed.

– Le, det tror jeg ikke på. Men jeg forstår faktisk ikke noget af det. Du har fuldstændig ret, han burde have aflyst, men tænker han i det hele taget i sådanne baner?

Måske var det en vennetjeneste. Måske ville han lære dig, at der intet lå i den invitation andet end dette: når man har sommerhus er det nærliggende at invitere såvel gode som mere perifere venner. En henkastet bemærkning, kom forbi, hvis du har lyst.

– Jamen han havde jo udmalet, hvor vidunderligt det skulle være.

– I sengen ja. Men måske skal du til at indse, at det, der siges og fables om i en seng, ofte ikke har noget at gøre med det man mener og siger, når man er kommet ud af den igen. Der er mange mænd der holder livet i sengen og livet udenfor skarpt adskilt. Og piger, der ikke holder den samme adskillelse, rubriceres som tåbelige og naive.

Le blev ved med at kredse om, hvorfor han ikke havde aflyst hendes besøg. Morten kunne ikke registrere, hvor meget hun havde drukket. Hun virkede noget fikseret, som om alt ville være klaret, hvis hun ikke havde været på det afsindige besøg.

– Le, hør her, sagde han, da han havde overvejet det hun sagde. – Måske er ubarmhjertigheden angst, måske er kynismen distance, måske er brutalitet forsvar.

Hvis du spørger, om jeg tror han vidste, hvor hårdt han slog, hvor hårdt det måtte ramme netop et menneske som dig, må jeg svare ja. Jeg tror, det hele – også hans frygtelige bemærkning om, at du blev ventet med forventning og glæde – var helt bevidst fra hans side.

Han ville simpelthen være fri for dig. Og ikke kun fri, men så du kunne mærke det, for din varme og umiddelbarhed, din direkte glæde for ham har rørt noget, han ikke ønskede, for det kunne være noget med følelser.

Vi vil aldrig få svar på de antagelser, vi opstiller. Og som vi tidligere har talt om: Det omvendte kunne ikke ske. Ingen mand ville finde sig i en sådan behandling, og jeg kender ingen kvinde, der ville handle som Sten gjorde.

Men det er altsammen noget vi har talt om før. Mange situationer, hvor det omvendte ikke lod sig gøre. De fleste mænd har lettere ved at afvikle et forhold, der ikke længere interesserer dem. De fleste kvinder vil overveje mere. Og handle mere varsomt.

– Morten, hent lige et par øl, der er noget andet jeg vil spørge dig om, noget jeg har tænkt en del på, siden jeg kom hjem.

Morten orkede ikke at blande sig i Le's drikkeri, måske var det nødvendigt for hende i den nuværende situation, for lettere at komme over dette. Men han vidste, at forholdet til Sten ville det ikke være let at komme over. Det skinnede hele tiden igennem, at ham ville hun tilgive alt.

– Forstår du, jeg bød mig til. Igen og igen. Og selvom det var Sten der inviterede, var det mig der fastholdt ham med invitationen, han havde glemt den flere gange. Det, jeg vil finde ud af hos mig selv er, om jeg vidste, før jeg tog derover, at sådan ville det gå. Var det derfor jeg rejste?

Jeg kunne jo have aflyst, da Sten ikke gjorde det, hvad jeg egentlig regnede med.

Hvorfor reagerede jeg så voldsomt på, at jeg for Sten altid kun var krop. Jeg har jo vidst det hele tiden. Og sidste gang var han ikke engang interesseret i mig som krop.

Morten, der er jo alt for mange beviser. Og nu tillader jeg mig at reagere som den elskede, der pludselig er blevet forsmået. Men han har ret til at handle som han gjorde, for jeg har aldrig været hans elskede.

– Vel har han ej. Ingen har ret til brutalitet overfor et andet menneske. Lad være med at blive så spidsfindig og bagvendt. Du er ulykkelig forelsket i en mand, der for det første ikke er forelsket i dig og for det andet fortæller dig det på en brutal måde.

Det kommer du til at betale for. Med mindre du hurtigt indser, at du ikke må spilde flere kræfter på ham. Eller investere flere tanker i ham. Det kan du nok ikke indse endnu.

Men brug dog hovedet nu, hvor du ved, han ikke er interesseret i dine følelser.

Morten gik, da Le's mor kom. Hun havde en kuffert med, var indstillet på at blive der nogen tid.

Hverken Lene eller Morten vidste, at det var sidste gang, de havde talt virkeligt med Le.

Det sidste Le sagde til Morten var – du fik mig slet ikke til at le denne gang. Det mest komiske i mit forhold til Sten er egentlig, at jeg hele tiden har været bange for at blive smidt ud. Og så bliver jeg det på den mest raffinerede måde: ved at han gør mig klart, at jeg ikke eksisterer ...

Moderen indrettede sig i stuen ved siden af Le's soveværelse. Hun gik og småsnakkede lidt med Le, der anstrængte sig for at svare nogenlunde klart. Hun vidste ikke, om hun var glad for at moderen var der. Ville nok helst have været alene.

Forstod, at det var Lene, der havde orienteret moderen, men uden ret mange detaljer. Sten var ikke blevet nævnt, og Le besluttede ikke at omtale ham.

På den anden side var det nødvendigt at fortælle moderen lidt om problemerne, fordi hun insisterede på at blive, indtil Le var rask igen.

Le forsøgte at samle sig så meget, at det blev muligt uden at forskrække moderen at fortælle lidt om sine problemer. Moderen vidste godt, at Le undertiden var lidt deprimeret, men ikke mere.

– Mor, sagde hun, – du må ikke blive forskrækket, men jeg har aldrig fortalt dig, at jeg undertiden har nogle angst- og depressionsanfald. Det går over igen, men jeg ved aldrig, hvor lang tid det tager.

For øjeblikket føler jeg det temmelig voldsomt, det kan skyldes at jeg har ferie og ikke ved, hvad jeg skal lave. Det er svært at forklare, hvad det egentlig er, for når jeg siger angstanfald, kan jeg faktisk ikke forklare, hvad jeg er angst for. Undertiden tror jeg, det er for døden, eller for livet. Nogen gange tror jeg det er økonomien, selvom jeg ikke har økonomiske problemer. Det kan også være for alderen, som jeg tænker meget lidt på, når jeg er rask.

Forstår du, alle disse grunde er noget man opfinder, fordi angsten er uforklarlig. Og lige som depressionen er det meget svært at udtrykke med ord, hvordan det egentlig føles, hvordan man har det.

Andet end at man har det dårligt, og ikke kan tage sig sammen til noget.

På en måde har man også smerter, men det er alligevel noget andet end rent legemlige smerter.

194

Moderen nikkede, hun prøvede at forstå. Hun var medfølende, men det var svært for hende at fatte ret meget af det, Le famlende, med lav stemme og langsomt, prøvede at formulere.

Og Le var så træt.

Samtalen med Morten havde udmattet, og nu et forsøg på en forklaring til moderen. Du må ikke tage dig af, at jeg drikker, når jeg har det sådan, det holder den værste angst lidt i skak, og gør også at jeg falder lettere i søvn.

– Mor, græd hun, – jeg har det så elendigt. Hold lidt om mig, sig det går over. Jeg er så bange.

– Bange for hvad, spurgte moderen, mens hun tog Le ind til sig.

– Bare jeg vidste det, græd Le. – Bange for livet, bange for mig selv, bange for ikke at slå til. Bare bange.

– Skulle du ikke have fat i en psykiater, spurgte moderen, – tror du ikke, han kunne hjælpe?

– Nej, protesterede Le, – jeg plejer at klare det selv. Det gør jeg også denne gang. Men tak fordi du er her og hjælper.

– Skulle du ikke i det mindste have nogle piller?

– Jeg har nogen, men lige for øjeblikket hjælper de ikke. Øl og snaps er bedre. Bare jeg kunne sove. Men jeg er også bange for at sove, for jeg drømmer så uhyggeligt.

– Hvad drømmer du da om, ville moderen vide.

– Om alt muligt. Mest om noget jeg skal men ikke kan. Men tit kan jeg ikke huske, hvad jeg har drømt, kun at det forskrækkede mig.

– Du må fortælle mig hele tiden, hvordan du har det, så jeg kan hjælpe dig, sagde moderen. – Du må forklare mig det hele, så jeg forstår det.

– Ja, sagde Le, hvis jeg kan. Det er så svært at forklare.

Moderen lød lidt fortabt, og sagde, – men jeg tror, at det er nødvendigt, både for din egen og for min skyld. Men prøv nu, om du kan sove. Eller du vil måske hellere læse lidt. Så vil jeg købe ind, så vi kan få lidt mad. Du kan godt være alene så længe, ikke.

Le nikkede. – Jeg vil prøve at sove. Jeg kan nemlig ikke læse. Det flimrer, og ordene danner ikke mening.

Moderen tænkte på det påfaldende i, at Le talte så langsomt. Hun der næsten altid talte hurtigt, ofte ivrigt.

Le lå og tænkte på depressionens og angstens problematik.

På hvor vanskeligt den var at forklare. Skulle på en måde altid omskrives. Man måtte ofte ty til litteraturen. Hun havde fundet den bedst beskrevet hos nogle enkelte kvindelige forfattere, som selv havde oplevet det.

Tænkte på, hvor snævert angst var forbundet med depression, men angsten kom som regel først.

Hun tænkte på absurditeten i, at samtidig med, at man var angst, vidste man, at der ikke var noget at være angst for. Man var bange for noget, der ikke var farligt, det eneste reelle var egentlig angsten for angsten, angsten for depressionen, angsten for at det kom og overvældede hende, angsten for, at det blev langvarigt, angsten for at det blev statisk. Hvad ville der så ske?

. Indlæggelse. Ind og ud af psykiatriske afdelinger. Skiftende psykiatere med varierende forståelse. Piller. Stærke piller. Risiko for at virke flad og dimensionsløs på grund af piller og anden behandling. Livsvarig invalid. Til sidst uden viden om, hvem hun var, piller eller person.

Nej, sådan må det ikke gå. Sådan går det ikke. Jeg må igennem det.

Hun faldt hen i en døs. Moderen vækkede hende nogle timer senere. Hun havde lavet mad. Le spiste lidt for at glæde hende, men var ikke sulten og tyggede maden med besvær, sank små mundfulde ad gangen, havde hele tiden fornemmelsen af, at maden ville blive siddende i halsen.

– Hører det med til sygdommen, at du ikke er sulten? ville moderen vide.

– Ja, jeg er faktisk kun tørstig.

– Vil du godt fortælle mere om din sygdom, så jeg bedre kan forstå det? Elller vil du helst være fri for, at jeg spørger dig? Bliver du sygere af, at vi taler om det?

– Det tror jeg ikke. Men tit kan jeg ikke svare. Nogle gange er det for svært. Eller jeg kan ikke få ordene til at hænge sammen. Eller jeg kan ikke finde ordene. Le talte lavt, undertiden kun som en hvisken. Og meget langsomt.

Når moderen senere tænkte tilbage på disse seks ugers rædsel, var det helt klart, at forløbet kunne deles op i tre faser. Den første, hvor Le var mest samlet, selvom hun drak temmelig meget. Den anden, hvor hun overvejende spiste nervepiller, og hvor drømme og mareridt dominerede voldsomt, og endelig den sidste periode, hvor hun var tiltagende sløv, som var hun krøbet ind i sig selv som en snegl. Hvor man næsten ikke kunne kontakte hende, og hvor moderen til sidst insisterede på, at hun skulle i forbindelse med en psykiater.

Moderen overvandt aldrig denne sommer. Det, der ramte hende hårdest, indtraf nogle måneder senere. Hun hørte et radioforedrag om depressioner. Foredragsholderen talte om, at når patienten igen var i stand til at foretage en aktiv handling, var det tegn på, at depressionen var ved at gå over.

Første fase: Le vågnede, havde sovet tåleligt om natten. Morgenen kunne karakteriseres som angst, skyld og utilstrækkelighedsfølelse. Le lå og analyserede disse 3 begreber. Tænkte på den belastning der lå i, at man egentlig havde en klar erkendelse af sin lidelse; vidste på den anden side ikke, om det var mere eller mindre belastende og smertefuldt at være uden sygdomserkendelse.

Hun havde denne ejendommelige fornemmelse af at stå udenfor sig selv og betragte en person, der var hende. En person der havde nogle symptomer, der hvis de ikke var så forstærkede som lige nu, ville være et menneske, som man ville karakterisere som følsomt, reflekterende og vel nok noget selvoptaget.

Alle de tilstande, hun befandt sig i, gennemlevede og som skræmte hende, var tilstande hun kendte hos sig selv, når hun var rask.

Den altafgørende forskel var, at en påvisning af, hvorfor hun følte som hun gjorde, og at analyseringen af situationen ikke hjalp.

Tænkte – det afgørende er ikke det jeg føler, men at jeg føler det så stærkt, og at det lammer mig.

Tænkte – hvor går grænsen mellem den forståelige skyldfølelse og det man kalder den sygelige. Tænkte på, at de vigtigste kodeord nok var diffus og irrationel. Et andet vigtigt fænomen var nok, at så meget i hende var selvmodsigende, modstridende fornemmelser.

Diffus angst sammenholdt med at være regulært bekymret og bange for, at der skulle ske Marianne noget, eller andre mennesker hun holdt af, sig selv for den sags skyld også.

Skylden, der blev irrationel, fordi det ikke var at føle sig skyldig i noget, hun havde begået, eller undladt at gøre, men

197

var blevet til en altdominerende skyldfølelse, som ikke længere kunne hæftes på noget bestemt.

Vidste fra psykiatribøger, hun havde læst, at et temmelig almindeligt reaktionsmønster kunne være at føle global skyld, skyld for atombombe, skyld for krige.

Det modstridende i på den ene side behovet for at føle sig omsluttet, dynen pakket fast omkring sig, moderen, der skulle holde om hende, sammenholdt med angsten for at blive kvalt, ikke at kunne få luft.

På den ene side ikke at kunne tåle lys, samtidig være bange for mørke. Ikke orke livet, angsten for døden.

Utilstrækkelighedsfølelsen, der især dominerede morgenerne, uden at hun kunne gøre sig klart, hvad hun følte sig utilstrækkelig overfor.

Tænkte – hvis det var en fysisk sygdom, ville jeg kunne placere smerten. *Men ved en psykisk sygdom er man lidelsen selv.*

Det selvforstærkende der lå i inaktiviteten. Kunne registrere det, men ikke ændre det.

Var holdt op med at se sig i spejlet, når hun var i badeværelset. Efter kort tid orkede hun ikke at vaske sig, skiftede kun tøj, når det klæbede ubehageligt vådt efter drømme og mareridt. Til sidst måtte moderen skifte hende.

Stemmen, der blev mere og mere tonløs. Når hun svarede moderen, blev svarene fremført tiltagende trægt og langsomt, ofte ledte hun længe efter ordene, undertiden opgav hun. Tanker var så indviklede og trættende, gik tit i ring, eller hun tænkte flere sideløbende tanker på en gang, så det tit blev umuligt at svare moderen.

En dag da moderen bad hende skrive et kort til Marianne, opdagede hun, at hendes skrift var uhyggeligt ændret, hun kunne ikke få hold på den. Det vanskeligste var at skrive sit navn.

Angsten var ofte ledsaget af voldsom hjertebanken. Undertiden led hun af åndenød, ofte følte hun, at hun var ved at besvime.

Når hun skulle ud af sengen, måtte hun hele tiden klamre sig til noget, så vidt det var muligt gik hun sidelæns, med ryggen langs væggen, det føltes godt og solidt.

Hun bemærkede som en sorg, der ikke kunne ændres, at hun blev tiltagende irritabel, hvilket gik ud over moderen.

Hun kunne se, hvordan hendes mor blev mere og mere bekymret og trist, men kunne intet gøre. Ikke trøste, for hun kunne efterhånden ikke finde ord. Andet end – det går over. Jeg ved, det går over.

Følte en tiltagende isolation og ensomhed.

Undertiden fik hun det bedre om aftenen, da tænkte og registrerede hun mest klart.

Tænkte – hvis jeg håbede mindre, hvis jeg havde været mindre optimistisk, hvis jeg havde troet mindre på, at forhold kunne ændres, ville sygdommen så have været mindre voldsom?

Tænkte – var dette sket, hvis ikke det var ferie? Hvis jeg havde forpligtelsen overfor mit arbejde og Marianne?

Savnet af Marianne var en yderligere smerte. Men hun ville ikke, at Marianne så hende i denne tilstand, ville ikke, at datteren skulle chokeres.

Tænkte – jeg har ikke lyst til at leve. Blandt andet fordi jeg, når dette går over, vil være bange for et nyt anfald. Vidste fra psykiateren, at der kunne gå lang tid imellem, vidste, at dette kunne være det sidste anfald. Vidste også at anfaldene kunne optræde med kortere og kortere mellemrum, vidste at det kunne blive kronisk.

– Nej, nej, nej, skreg hun, og moderen kom løbende, tog hende ind til sig, Le hulkede fortvivlet.

Moderen trøstede. Småsnakkede til hende, som var hun et lille barn. Da gråden stilnede lidt af, hørte moderen Le sige med tonløs stemme, langsomt, men med eftertryk på hvert ord: – Jeg vil leve. Jeg vil være rask.

– Jamen, lille Le da, selvfølgelig vil du leve. Selvfølgelig bliver du rask. Men tror du ikke, vi skal tale med en psykiater om det?

– Det hjælper ikke. Han indlægger mig bare. Det har jeg prøvet.

– Hvornår?

– Dengang da jeg tog for mange piller. Le registrerede svagt, at hun havde forskrækket moderen alvorligt.

Anden fase: domineret af drømme, ofte voldsomme, og mareridt. Hvor hun de første uger havde haft svært ved at falde i søvn, havde ligget rastløs, forsøgt at gemme sig i dagdrømme, var hun i denne periode bange for at sove.

Hun drømte tit om Sten.

Vidste dog både i denne fase og i den første, at depressionen ikke var Stens skyld, ikke drejede sig om Sten.

Han havde ved sin optræden været en medvirkende årsag til depressionen, men hun havde meget tidligt i forløbet været klar over, at hendes sygdom ikke var en reaktion på et mislykket kærlighedsforhold.

Det havde kun været en igangsættende faktor.

Sygdommen var i langt højere grad et eksistentielt mønster, sammenvævet af mange tråde. I høj grad domineret af en nærmest overdimensioneret følsomhed i forhold til de krav hun stillede, til sig selv, til de mennesker, hun bandt sig til, og hvor hun netop på grund af en idealisering blev skuffet. De fordringer, hun stillede til sig selv og sin tilværelse, var så høje, at det tit var for vanskeligt at leve op til dem.

I alt dette blev Sten symbolet eller prototypen på manden, som hun havde behov for, og som hun ikke havde fundet.

Men drømmene var mere end den mand, hun ikke havde kunnet finde. De var i vid udstrækning en voldsom selvkritik og tvivl på eget værd.

En drøm: er til selskab, véd Sten er der. Vil finde ham. Løber fra stue til stue, leder, kalder, spørger. Alle ler af hende. Ser ham endelig, men da han vender sig om, er det Stens ansigt uden mund.

En drøm: Er i teater. Véd Sten er der. „Tribadernes nat". Flere gange bliver hovedpersonen Strindberg til Sten, men hun ved det er indbildning. Sten er tilskuer.

Ved garderoben ser hun ham. Da han vender sig om, ser hun et oppustet, opsvulmet ansigt, der er Stens og ikke Stens. Måske om 10-15 år? Hun løber, men ansigtet er hele tiden foran hende.

Ansigtet ler, men det er ingen latter – elsker du mig også nu? I opløsningen?

En drøm: Sten står bøjet over hende. – Elsk mig, så jeg ikke har brug for pernod. Fremelsk i mig alle de nedkulede, skjulte, indefrosne følelser, som du kalder det. Gør mig følsom, bevis at du kan.

Sten med ansigtet halvt bortvendt. Ironisk – elsk det frem, varmen som du taler om. Opgiv alt andet. Men du vil ikke opgive alt andet. Hvad er din kærlighed så værd?

En drøm: Sten som en klippe. Et bjerg hun skal over. Men

200

klippen er så glat, bjerget så højt, hun klatrer og klatrer, glider hele tiden ned, falder, slår sig, græder. Uoverkommeligt. Hun kan heller ikke komme *udenom* bjerget.

Sten-klippen kræver: giv mig varme, hold om mig. Hun prøver, men hvordan få varme nok til en klippe, skriger – Sten! hvordan er det muligt med så megen kulde koncentreret på et sted? Sten-klippen svarer – du har ikke varme nok.

Vågen. Vil ikke sove. Prøver den gamle dagdrøm. Om David, der er Sten. Sten der har Davids bedste egenskaber. En person, der ikke er David, ikke er Sten. En person hun opfinder, fordi alt andet er for voldsomt og påtrængende, en person med alle de egenskaber hun holder af og håber på. En person hun ikke kan fastholde i sin bevidsthed.

En drøm: Ligger i Stens seng. Han ligger tungt over hende. Hun véd hun vil nyde det, nyder det samtidig med at hun føler sig mere og mere tynget, føler at hun er ved at blive kvalt. Han tilbyder – afprøv alle dine teorier og ord: inderlighed, dybde, varme, kærlighed, ømhed, forelskelse, berøring, følelse. Hun véd ikke hvordan, kan ikke huske det. Sten ler hånligt, – kom, afprøv alle dine fine teorier, men nu.

– Sten! skriger hun, – vent, jeg skal hjem og læse, tænke, jeg har glemt, jeg må finde, vent.

Vågner, moderen holder om hende. – Du havde mareridt. Du var svær at vække. Det var, som ville du blive i den onde drøm.

– Det var jo nødvendigt.

– Hvem er denne Sten?

Le rystede på hovedet. Fik noget tørt nattøj på. Var gennemblødt af sved. Håret hang vådt og uplejet ned over hendes opsvulmede ansigt.

Lene ringede hjem midt i sommerferien. Da Le sov, talte hun kun med moderen, der fortalte om, hvordan det gik, at Le havde taget en del på i vægt, at hendes ansigt og hænder virkede opsvulmede, fortalte lidt om de voldsomme drømme.

Lene havde svært ved at finde ud af, hvor syg Le egentlig var, forbindelsen var dårlig, og senere forstod Lene, at moderen havde beskrevet Le's tilstand mindre alvorlig end den var.

Moderen: Måske er det arveligt, jeg ved det ikke, vi har vist noget fjernt familie, der ... Eller også. Hun snakker tit i søvne om en, der hedder Sten, hun vil ikke sige, hvem han er. Ved du det? Skal vi finde ud af det og bede ham komme?

Måske kan han hjælpe?

Lene: Jeg ved hvem det er. Han skal ikke kontaktes. Han kan ikke hjælpe, vil ikke kunne forstå. Han kan højst forværre hendes tilstand.

Lene opfattede ikke moderens bemærkning, fordi den ulykkelige stemme var for lav da hun sagde: – Kan den blive værre?

Lene fortsatte, – Le vil ikke kunne bære, at han ser hende i denne situation, hun vil føle sig alt for nøgen og forsvarsløs. Iøvrigt ville han slet ikke komme.

Men skal jeg ikke køre hjem til dig? Du må trænge til aflastning.

Moderen afslog, det var ikke nødvendigt. Hun kunne godt klare det lidt endnu, og Lene ville jo komme hjem om to uger. – Det skal nok gå. Bare hun ikke drømte så voldsomt.

– Kan du ikke få fat i en læge, der kan give hende noget beroligende?

– Hun har nogle piller, de virker bare ikke rigtig. Men det blir nok snart bedre. Jeg skriver, hvis det bliver værre.

Lene var lidt usikker på, hvad hun skulle. Men slog sig til tåls, 2 uger var jo heller ikke så lang tid.

Selvom moderen blev tiltagende bange for Le's tilstand, kunne hun ikke lide at ulejlige nogen, håbede stadig at Le havde ret, det ville snart gå over. I hvert fald når skolen begyndte.

Le drømmer: De er der alle. Alle de mænd hun har elsket. Og hun kan ikke kende forskel. Ser fra ansigt til ansigt, de er ens. Siger de samme ting:

> Du er dig selv nok
> du har oplevet nok
> jeg har selv problemer nok
> du var ikke feminin nok
> but we can trust each other
> du var ikke sjov nok
> du var ikke spændende nok
> du gav ikke nok
> nok, nok, nok,
> Og som et talekor:
> Hvad er det der skulle gøre *dig* så speciel?

Hvor ofte var du ikke uægte, uærlig?
Hvornår var du spontan?
Hvornår var du ægte og umiddelbar?
Hvornår overvejede du ikke dine virkemidler?
Det er ingen undskyldning, at du påstår, vi ikke gav dig lov.

Le vågnede, var et øjeblik helt klar. Tænkte – ja, *hvem er jeg egentlig, hvad ville jeg egentlig?*
Var de mere ærlige i deres fattigdom og uformåenhed? Var det mig, der var falsk, med min tro på varme, kærlighed, ømhed. Gav jeg ikke nok. Forlangte jeg for meget. Er det mig, der er hul og tom.
Døsede. Var bange for at falde i søvn.
Var begyndt at drømme på en måde hun aldrig havde oplevet før. Drømte i bobler, drømte om bobler.
Hun var en boble, kunne ikke fastholde sig selv, var konturløs, svævende. Angst for at forsvinde. Angst for at briste.
Alt var bobler.
Omkring hende råbte de: – vi er alle dine fallitter. Vi er dine tomme dage, udfyld os.

Én boble større end de andre: *Sten.* Sten der krævede: form mig, giv mig arme, hænder. Og hun rakte sine hænder ud. Men boblen svævede væk, hun kunne ikke fastholde den.
Denne sidste periode var domineret af uvirkelighed.
Moderen var mere og mere desperat og udmattet. Sov i værelset ved siden af Le og blev vækket af Le's voldsomme råb i drømme, var bange for at sove, når Le ikke sov, og havde været tiltagende urolig siden Le var kommet til at røbe sit tidligere selvmordsforsøg.
I sommerferiens sidste uge fik moderen Le overtalt til at gå til en psykiater ved at love, at Le *ikke* skulle indlægges.

Lene kom hjem dagen før Le skulle til psykiater. Hun blev chokeret over at se Le i den forfatning og bifaldt moderens kontakt med en psykiater, selvom det var en helt tilfældig, moderen havde fået overtalt til at tage Le med få dages varsel.
Det var ikke muligt for Lene at tale med Le andet end et par sætninger. Le var nu fuldstændig domineret af skyldfølelse overfor Marianne, græd af længsel efter hende, men ville ikke at datteren måtte se hende, før hun fik det bedre.

Moderen fortalte, at Le den sidste uge havde ligget og gentaget de samme ord igen og igen: Gentagelse – Nederlag – Forkastelse.

Hun og Lene aftalte, at hun ville ringe, når de havde været hos psykiateren. Moderen var blevet gammel i løbet af de uger, der var gået. Hun virkede totalt udmattet. Og ringede så næste aften:

Hun mente, at besøget var gået godt. Le virkede rolig og fattet, havde fået ordineret en langtids-anti-depressiv behandling, og havde taget de første piller. Hun sov nu, og havde overtalt moderen til at tage en sovepille, for at også hun kunne få sovet rigtigt ud. Nu ville alt jo løse sig ...

Et psykiaterbesøg

Tilværelsen er uden illusion

Det stod uklart for hende, men moderen havde fået overtalt hende til at konsultere en psykiater, havde fundet en, der ville tage hende akut.

Først havde hun nægtet, havde klagende sagt, at det ikke kunne hjælpe, at det hele nok snart var overstået, havde selv tvivlet på ordene. Havde bedt om at måtte vente.

Men moderen havde grædt og tigget hende, havde sagt, at hun ikke havde flere kræfter. Ikke kunne holde til ret meget mere.

Le kunne pludselig se, at moderen var ældet, at der var kommet noget spinkelt, pludselig sammenkrøbet over hende.

Moderen havde grædt, både over Le's tilstand og sin egen udmattelse.

Da Le havde forstået, at moderen også græd af dårlig samvittighed, havde hun sagt ja. Det var absurd, at moderen skulle have dårlig samvittighed. Hun, som havde passet Le i denne lange, afsindige periode.

Le følte, at det var tilstrækkeligt, at *hun* havde dårlig samvittighed overfor moderen. Det var der grund til. Men aldrig det omvendte.

Da moderen denne morgen vækkede hende, fordi hun igen havde mareridt, knugede hun sig ind til hende. Moderen holdt fast om hende, klappede hende på ryggen og hviskede: – Vi må håbe, lægen kan gøre dig rask, og – som ville hun overbevise sig selv – nu skal du se: Lægen kan bestemt gøre dig rask.

Le syntes ikke hun orkede det, men for moderens skyld.

205

Hun tog en bomuldsbluse på, cowboybukser og træsko, da hun med langsomme bevægelser havde vasket sig og børstet tænder.

Så, at kæden med kvindetegnet og ringen fra Jacob lå på natbordet, tog det på, mens hun tænkte: – Hvorfor tager jeg det på?

Hun havde omhyggeligt undgået at se sig selv i spejlet.

De tog en taxa til lægen. Der var ingen ventetid, moderen blev siddende i venteværelset.

– Fortæl bare lægen det hele, hviskede hun, – du skal se, lægen forstår dig.

Le gik ind til ham.

Der var noget bevidst afslappet ved lægen. Men hans øjne flakkede, konstaterede hun, mens han bad hende sætte sig.

De sad ved et sofabord, han i sofaen, lagde fødderne på bordet, havde kun præsenteret sig med fornavn. Ingen hvid kittel.

Hun sad i en lænestol overfor. Ventende. Mærkede hun var begyndt at svede voldsomt, tænkte at kapslen på deodorantstiften havde siddet så fast, så hun ikke havde orket at skrue den løs, tænkte, om lidt begynder jeg at lugte.

Stilheden var ved at blive larmende. Lægen sad og betragtede hende, hun konstaterede, mens hun mærkede sveden løbe og fugten brede sig under armene som store plamager på blusen, at hans facon var at ville have patienten til at tale for at vise lidt initiativ.

– Om lidt begynder jeg at lugte.

– Ved du, hvorfor du siger det?

– Af den enkle grund, at jeg sveder og har glemt at bruge deodorantstift.

– Hvorfor kommer du her?

– På grund af min mor. Hun ønskede det.

– Du ville ikke selv være kommet?

– Nej, jeg tror ikke på det.

– På hvad?

– På psykiatrisk bistand.

– Hvad forstår du ved psykiatrisk bistand?

Hun så på ham et kort øjeblik. Tænkte – jeg orker det ikke, jeg skulle have svaret anderledes, det ville have været lettere.

Tænkte, – jeg forholder mig tavs, så blir han nødt til at sige noget.

206

– Du svarede ikke på mit spørgsmål. Hvorfor ikke?
– Fordi jeg ikke orker.
Hun så op på ham, kunne ikke holde ud at se på hans flakkende øjne, der gjorde hende forvirret.
– Jeg er manio-depressiv, med vægten på det depressive. Kan du ikke bare give mig nogle piller? Helst ikke imipramin, det har jeg prøvet før, de gir mig nogle uheldige bivirkninger.
– Hvem har stillet den diagnose?
– Det har jeg selv. En gang troede jeg, jeg havde en neurose, men det benægtede psykiateren.
Jeg er så træt, kan du ikke bare ordinere nogle piller?
– Det kan man ikke sådan „bare".
– Nej, men for min mors skyld. Et eller andet beroligende.
– Hvorfor ser du ikke på mig, når du taler til mig? ville han vide.
– Jeg kan da ikke sige at det er på grund af hans øjne, – tænkte hun, – men hvad så?
– Jeg er træt, jeg har svært ved at fastholde mine tanker, jeg prøver at koncentrere mig om dine spørgsmål.
– Prøv at beskriv, hvordan du har det?
– Jeg er deprimeret. Har angstanfald. Drømmer afsindige ting og har mareridt. Har en uvirkelighedsfornemmelse.
– Prøv af beskriv din depression og angst.
Hun sad længe og ledte efter ordene. Så op på ham, prøvede at undgå hans øjne.
– Det er svært, sagde hun langsomt og tøvende, – jeg tror ikke jeg kan. Prøv du at forklare det. Så kan jeg sammenligne.
– Det ville blive for klinisk og uden betydning i din sammenhæng, hans svar lød lidt utålmodigt.
– Har du aldrig følt det på din krop, ville hun vide.
– Nej.
– Har du læst Doris Lessings Den gyldne bog? Hun skriver noget om det.
– Jeg læser ikke damelitteratur.
– Nej, svarede hun, så på ham, tvang sig til at fastholde sit blik i hans. – Nej, hvad læser du så?
– Overvejende fag, men det er ikke mig vi skal tale om, det er dig. Din mor fortæller, at du er ulykkeligt forelsket, er det rigtigt.
– Ja, i en mand, som ikke er interesseret i mig. Alt taler for,

207

at han allerede har glemt min eksistens.

– Er det ikke lidt barnagtigt og umodent at reagere så voldsomt på en kærlighedsaffære? Du er jo ung endnu, kun lige fyldt 30 ikke? Du finder da nemt en anden mand.

– Ja. Nej, sagde hun, – det er ikke på grund af en affære, som du kalder det. Jeg ville bare høre, hvordan du reagerede.

Lang pause.

– Reagerede jeg, som du ventede?

– Ja, – ved du, jeg kan ikke rigtig se nogen mening lige for øjeblikket. Blir *du* aldrig træt af gentagelsen? Af kulde og forkastelse?

– Jeg tror ikke jeg kan følge dig. Du blir nødt til at præcisere.

– Ja, hvis jeg kan. – Du skal se, min tilstand blir nok bedre. Giv mig bare nogle opkvikkende piller. Det hjælper nok, når jeg skal begynde arbejdet igen.

– Tror du selv på det?

– Ikke så sikkert som før. Men hvad så?

– Du har en datter. Din mor fortæller, at du ikke vil se hende for tiden.

– Jeg vil ikke, at hun skal se mig i den tilstand.

Tænkte: – nu begynder han at tale om ansvarlighed. Jeg må ikke bryde totalt sammen. *Jeg vil ikke indlægges.* Der må være andre udveje.

– Du har et ansvar for dit barn. Det må da kunne hjælpe når et forhold til en mand glipper.

Hun koncentrerede blikket om et brandmærke på bordet. Mærkede tårerne. Følte at han tappede hende for de få kræfter hun havde kunnet mobilisere.

– Undertiden er ansvarlighed vel også at indrømme, at man ikke magter det. Og derfor må give ansvaret videre til en anden.

– Er det et spørgsmål eller et postulat, ville han vide.

– En konstatering, sagde Le og koncentrerede sig om brandmærket, dette realistiske holdepunkt. Resten af værelset sejlede lidt for hende.

– Eller en flugt? Du talte om en psykiater. Hvorfor konsulterede du ham?

– Han ved det hele, tænkte hun, – ellers ville han spørge om navnet. Han har selvfølgelig rekvireret min journal.

Hun sagde med monoton stemme: – Jeg talte med psykiateren i forbindelse med et selvmordsforsøg. Jeg havde taget sovepiller, men min veninde havde en mistanke om, at noget var galt. Hun fik mig pumpet ud.

– Har du tænkt på at begå selvmord i denne omgang?

– Jeg har vist ikke piller nok. Og min mor er der hele tiden.

Han sagde, at han ville prøve et langtids anti-depressionsmiddel. Forklarede hende, hvorledes hun skulle gå op i dosering, hvornår hun skulle ringe til ham, hvornår hun skulle komme igen.

Hun forstod, at konsultationen endelig var slut. Hun rejste sig lidt besværligt.

– Lad mig understrege, han prøvede at få stemmen til at lyde friskfyragtigt, men det var slet ikke hans type, den kom til at lyde lidt irritabel – lad mig understrege, at disse piller er absolut uegnede til et selvmordsforsøg. Tag dig lidt sammen, så hjælper pillerne også bedre. Du har så meget i vente, du finder nemt en ny mand. Du har et barn. Lad være med at spille så fornærmet på tilværelsen.

Og lad så være med flere selvmordsforsøg. Du mener det jo alligevel ikke alvorligt. Du belaster højst forgiftningscentralen unødigt.

Hvis du virkelig mener det alvorligt, så lægger du dig foran et tog.

Et øjeblik overvejede hun, om han havde sagt du eller man. Gjorde det nogen forskel?

Begravelsen – en dialog

*Der bli'r så fortvivlende lidt
af så meget.
Kun åndemusik.*

Sophus Claussen

Lene var ved at gøre sig klar til Le's begravelse, som skulle foregå kl. 16 i Krematoriets lille sal.

Det havde været en underlig dag. Hun havde vandret rundt i huset, havde forsøgt at læse aviser, kunne ikke samle tankerne.

Havde prøvet at foretage sig noget praktisk, men måtte opgive.

Havde snakket med børnene, da de kom fra deres første skoledag efter ferien, men det var blevet noget spredt snak om skema og nye bøger, og børnene havde mærket på hende, at hun ikke var nærværende. De havde også forstået hvorfor.

Hun havde tænkt meget på Le hele dagen. Havde man kunnet gøre noget, havde man gjort for lidt, været for optaget af sit eget?

Det var der næppe tvivl om.

Hun blev ved med at bebrejde sig selv, at hun havde ladet sig slå til tåls med Le's mors bemærkninger, da hun havde ringet fra Frankrig, og ikke fulgt sin første indskydelse, at køre hjem.

Men havde hun kunnet hjælpe?

Eller var Le's død en naturlig konsekvens af hendes tilværelse, psyke og indstilling. Var ringen naturligt sluttet nu, var det rigtigst, og mest i overensstemmelse med Le's natur, at hun selv traf sin beslutning?

Ringen sluttet. Ringen, tænkte hun og så på den. Le's mor havde givet hende den. Havde også givet hende Le's dagbøger.
– Fordi du nok var Le's mest fortrolige, og fordi du gjorde så

210

meget for hende.

– Fortrolige nok. Men gjorde så meget, det var ikke rigtigt. Havde i hvert fald ikke gjort nok. Hvornår har man gjort meget, og især, hvornår har man gjort nok?

– Mærkeligt med den ring, tænkte hun og rystede samtidig irriteret på hovedet, fordi en bestemt sang havde forfulgt hende hele dagen. Kun brudstykker, som hun sikkert satte forkert sammen, fordi hun ikke kunne huske teksten, eller fordi hun ubevidst satte dem sammen, så de passede på situationen.

– Felicia är död – kan nogen säga hur?

– Ja, svarede hun, det kan jeg godt. Försvunnen hennes krop. – Nej, den står henne i krematoriet.

– Af näcken blev hon tagen. Nej, hun bestemte selv.

– Vi måste alla dö, dödödödö. Ja, sandt nok. Banaliteten virker hårrejsende i sin logik. Bare ikke præsten siger noget tilsvarende. Det vil ikke være til at bære.

– Ditt kött var också hö, höhöhöhö. Ja, af jord er du kommet, det vidste hun, præsten skulle sige.

– Som kärlek när den såras.

– Ja, da det var sket tilstrækkeligt mange gange og tilstrækkeligt hårdt, tænkte Lene bittert.

Hvad skulle hun tage på? Sort var ikke længere noget krav, men mørkt forventedes. Og det var højsommer og nærmest hedebølge.

Nej, tænkte hun, jeg tager min røde kjole på. Le elskede rødt, hun ville bestemt have anbefalet den røde.

Kunne høre hende sige   glem da de forbandede normer, som vi skal ligge under for. Lad os gøre det utraditionelle.

– OK, Le, tænkte hun trist-sarkastisk, – jeg giver fanden i normer og forventninger, det gjorde du osse selv. Til det sidste.

Kiggede igen på ringen, som lignede Le. Som på en eller anden måde var Le. Alle de kanter, alle de flader, rå, glatte, ujævne ind imellem hinanden. Kantet, og alligevel rund.

Ville ved lejlighed spørge moderen om hun vidste, hvem der havde givet Le den.

Det måtte være en, der kendte hende bedre end de mænd, hun havde været forelsket i. Men måske havde hun selv købt den. Det var den mest nærliggende mulighed.

Lene bar ringen på pegefingeren, fordi den var så stor. Hun havde lovet sig selv at gå med den, fordi den var Le's, fordi den var smuk, og fordi hun af mærkelige grunde var lidt bange for den.

Hendes 15-årige søn, der havde stor intuition og indføling, kom op til hende og tilbød at gå med til begravelsen. I Andreas' sted, da han var ude at rejse.

Hun var et øjeblik fristet af hans tilbud. Hun afskyede begravelser, undslog sig i videst muligt omfang. Hun vidste, hun ville komme til at græde, og så var det godt at holde et andet menneske i hånden.

Hun sagde, – nej tak, det var ikke nødvendigt, og så lettelsen i hans blik. Han tog om hende, holdt fast om hende, og hun begyndte at græde.

Han strøg hende over håret, kyssede hende på kinden, begyndte selv at græde, slap hende og gik.

Hun klædte sig hurtigt på, lagde make-up og gik ned og sagde farvel til børnene.

– Kan man gå til begravelse i rød kjole? spurgte hendes 10-årige datter.

– Ja, hvorfor ikke. Le ville ha' kunnet li den.

– Jamen, Le ser den jo ikke. Det er følget. Hvad tror du, de tænker?

– Kan det ikke være ligemeget? spurgte hun lidt tvivlrådig sin snusfornuftige datter.

– Le elskede rødt. Og mor ser dejlig ud i den, afgjorde hendes søn.

Hun kyssede dem farvel, gik ud til sin bil og kørte derind.

Hun kom lidt for tidligt, den begravelse der lå forud var ikke overstået. Hun mærkede, det gik slag i slag. Nye kister, trykte salmer. Palmer og anden pynt stod, så det kunne bæres ind og ud, alt efter de efterladtes ønsker, investeringsbehov og manglende evne til at modstå bedemandens overtalelser.

Eller måske var det kompensation for dårlig samvittighed. Eller det der kaldtes „at vise den afdøde den sidste ære". Gad vide hvad det egentlig er?

Le, hvordan skal vi vise dig den sidste ære, du lo altid af ordet *ære*.

Vi må nok vise dig noget andet. Men du kan ikke se os mere.

Klokken var nu 16, og hun gik ind i krematoriet, mens hun fortvivlet tænkte – Le, jeg savner dig! Jeg gjorde ikke nok, ikke hvad jeg skulle have gjort. Hvem er skyld i detteher? Måske valgte du rigtigt.

212

Bare præsten er fornuftig. Vi måste alla dö, vort liv är bara hö. Den idiotiske sang, jeg får kvalme.

Der var dæmpet orgelmusik, som fik den svenske vise til at forsvinde. Der var ingen ekstrapynt, ingen trykte salmer, men salmebøger var lagt frem. Salmenumrene hang på en tavle. Kisten stod på en forhøjning, pyntet med Le's yndlingsblomster, margueritter. – Nok det eneste dronningen har tilfælles med mig, som Le plejede at sige.

Lene havde ikke blomster med, havde altid syntes, det var en tåbelig måde at spilde penge på og at misbruge blomster på.

Hun satte sig på bageste række. Moderen sad på første række, nærmest kisten, mellem Annike og Le's ældre bror. Lene kunne se på hendes skuldre, at hun hulkede stille.

Tænkte *hun* også på, at hun måske ikke havde gjort nok? Jamen, ingen kunne have gjort mere end netop moderen. Tænkte hun på, at det var hende, der havde valgt – helt tilfældigt – en psykiater, der samtidig var idiot? At det var hende, der havde aftalt besøget hos ham, hende der havde tvunget Le derhen? Jamen, hun kunne jo ikke gøre for det, ikke vide det. Og måske var det i Le's situation kun et spørgsmål om tid og fremgangsmåde.

– Du har i hvert fald ingen skyld, sagde hun i tankerne til moderen, du gjorde, hvad du kunne, du vidste jo ikke ...

Skyld, tænkte Lene videre, Le talte så tit om skyld og skyldfølelse. Om at være skyldig.

De havde ofte drøftet begrebet skyld. Le havde selv ment, at hun i den retning var noget præget af sin far, de havde ofte diskuteret menneskets skyldighed i forhold til den Gud han og Le troede på og i forhold til medmennesket.

Lene kom pludselig i tanke om en telefonsamtale for lang tid siden. Le ville spørge til råds om et eller andet, men havde pludselig sagt:

– Jeg havde en mærkelig samtale med en gammel ven i går. Nå nej, nu trætter jeg dig; men han sagde noget underligt, som jeg har måttet tænke over, og som jeg ikke er færdig med at tænke på.

Han sagde noget i retning af, at Jesus altid var uskyldig. Aldrig skyldig. Aldrig havde behøvet at undskylde eller sige undskyld, og derfor kunne han ikke være et menneske. Og det var han jo, ikkesandt?

Lene huskede, at hun ikke havde kunnet svare, og Le havde

leende sagt:

– Nej, det er ikke noget for dig. Lad være med at tænke på det, det skal jeg nok gøre. Og så skal jeg gi dig svaret.

Så havde de talt videre om noget andet.

Det var tydeligt, at moderen havde valgt Le's yndlingssalmer. De begyndte med „Den signede dag med fryd vi ser / af havet til os opkomme". Hun prøvede at synge med, men kunne ikke. Og 4. vers måtte hun opgive: „Thi takke vi Gud / vor fader god / som lærken i morgenrøde / for dagen han os oprinde lod / *for livet, han gav af døde.*

Hun kunne se, at moderens hulken tog til under sidste vers, „Så rejse vi til vort fædreland".

Nu trådte præsten frem, en ca. 40-årig mand. Han havde sin tale lagt ind i biblen. Han åbnede den og læste med langsom, rolig stemme og med stærkt eftertryk på sidste linje:

„Da du var ung, bandt du selv op om dig, men når du bliver gammel, skal en anden binde op om dig, OG DU SKAL FØRES DERHEN, HVOR DU IKKE VIL."

Han lagde biblen fra sig og holdt en pause, før han begyndte at læse op af sit manuskript:

– Le Holm er død. Og vi, der sidder her, véd, at hun tog sit eget liv.

Men ved dødens tærskel standser alle bebrejdelser, og vi vil heller ikke bebrejde hende noget. For hun vidste jo ikke, hvad hun gjorde. Hun var psykisk syg. Og så kan man ikke stilles til ansvar.

Derfor passer teksten fra Johannes evangeliet, som jeg lige læste, på Le Holm. For hvad står der egentlig i denne tekst?

Der står, at så længe du er ung, rask og rørig, kan du selv klare dig. Men når du kommer i en situation, hvor du ikke længere selv kan magte tingene eller tilværelsen, skal andre træde til. Det gælder de gamle, det gælder de syge. Og især de psykisk syge. De er i andres vold. I deres sygdoms vold. De er der – eller deres sygdom fører dem derhen – hvor intet rask menneske ønsker at være. Le Holm blev, selv om hun endnu var en ung kvinde, af sin sygdom ført derhen, hvor hun ikke ville være, hvis hun havde været rask. Hun blev ført ud i døden for egen hånd.

Det er sædvane at tie om den døde, hvis man ikke har noget godt at sige, og det er en god skik, for det uigenkaldelige har krav på respekt.

Depression er en frygtelig sygdom. Den kan føre til inaktivitet, den er fortvivlelse, og værst: den kan føre til, at man ikke længere er sig Guds almagt bevidst. Fortvivlelsen kan blive så stærk, at man på trods af det ansvar, Gud har givet en, at man på trods af den nåde, Gud dagligt udøser over en, ikke længere føler ansvaret og nåden. Fortvivlelsen kan føre til tvivl, også på Guds almagt og godhed, og det var så langt sygdommen havde drevet Le Holm ud.

Hun kunne ikke længere se, som der står i salmen, som vi skal synge om lidt, at „Hvad kan dig vel skade, min sjæl, med Guds fred." For Le Holm var sig ikke længere sin sjæl bevidst.

Og derfor kunne hun heller ikke finde fred i salmens første linjer, Urolige hjerte! / Hvad fejler dig dog? / hvi gør du dig smerte, du ej har behov?

For havde hun kunnet det, havde hun ikke været død i dag. Vi skal alle dø.

– Åhnej, tænkte Lene, – ikke osse det sætning. Vi måste alla dö, dödödödö.

Du har ikke forstået en lyd af det hele. Så syg var Le ikke.

Hvis nogen var sig sin sjæl, som du kalder det, sin psykiske tilstand og især sin psyke bevidst, var det netop Le. Hun blev ikke ført nogen steder hen, hvor hun ikke ville. Hun gik helt bevidst ind i det tog.

Du taler om ansvar, og det skal ikke undre mig, hvis du om et øjeblik også nævner hendes ansvar for Marianne.

Men foreløbig gør du hende ansvarsfri, og hvilken hæslig nedvurdering ligger der ikke deri?

Og du skal heller ikke tro, det var på grund af sygdom og utilregnelighed, hun ikke lever op til dit salmevers.

Hvis nogen havde grund til at føle sig smertet, eller såret, så var det Le. Netop fordi hun var et uroligt hjerte. Og fordi hun var hudløs og følsom – først og fremmest i forhold til mænd, der mere eller mindre ligner dig – gik hun derhen, hvor hun ville.

– Vi skal alle dø, sagde præsten. – Men de allerfleste af os bliver, og håber på at blive gamle. Vi skulle gerne dø af alderdom, mæt af dage, som man siger.

For livet har så meget godt i vente. Vi venter os alle noget

215

af det, og med god grund.

Livet havde også meget godt tilbage til Le Holm. Men hun vidste det ikke, kunne ikke se det i sin sygdoms mørke.

Le Holm havde evner, som hun nu ikke får udnyttet. Hun efterlader sig en datter, som andre nu må tage vare på, andre må tage ansvaret for. Hun kunne det ikke selv.

Det er en forfærdende tanke, at en sjælelig sygdom kan beherske et menneske så stærkt, at den kan drive det til en handling som den Le Holm har foretaget. Men den døde skal man lade i fred.

I vor normbrydende og traditionsopløsende tid er døden heldigvis stadig en bom, som vi må stoppe ved. Og derfor kræver døden det, vi efterhånden oplever for lidt af, stilhed og omtanke.

Vi skal ikke opregne alt det i livet, Le Holm nu er gået glip af.

– Hvad er det du gør! Hvad er det du siger! skreg det i Lene. Hvad ved du om livet. Om Le's nederlag, om alle de gange hun gav, uden at få igen, om alle de gange hun stod med sine følelser, sin varme rakt frem, og ingen gad anstrenge sig for at forstå og tage imod.

Ja, hun forelskede sig i den „forkerte" type mænd. Men var der andre. De var i hvert fald ikke der, hvor hun var. Hun troede, hun kunne ændre den kulde, hun traf hos visse mænd. Hun troede, at hvis bare hun gav, elskede, og troede på varme hos de mænd med is i kroppen, så ville hun også kunne få deres varme frem.

Alle de mænd, som i så høj grad kørte på egne præmisser, alle I, der i en uhyggelig grad ignorerede andres behov. Hendes behov. Mange kvinders behov. Kvinder der ikke tør tage nogen konsekvens, hvad enten den er ensomhed, eller som nu, døden.

Le brød normer. Det var noget af det dejligste ved hende. Hun turde gå imod alle jeres tåbelige traditioner og normpjat, som I ville bevare, fordi det passede jer bedst, det var behageligst. I er så ømme over alle disse tåbeligheder, fordi I er de virkeligt bange.

Og du taler om alt det hun havde i vente. Hvad tror du egentlig hun med sin sårbarhed og sit vibrerende sind kunne vente sig? Lad os sige, bare af de næste 10 år?

216

Lykke?

Så naiv var Le ikke. Hun døde, fordi hun havde indset og overvejet netop *det* spørgsmål. Gjort op, hvor meget eller rettere hvor lidt det var.

Jeg tror –, sagde hun i sit ordløse opgør med præsten, – at Le begik selvmord fordi hun blev bange, da hun indså, hvor lidt der egentlig var i vente.

Og Marianne. Hun talte tit om, at Annike var bedre, mere afbalanceret. Og ikke plaget af al den skyldfølelse, Le hele tiden led af.

Hun døde ikke kun på grund af Sten, tænkte Lene.

Men hun døde, fordi hun mente, at de forventninger hun havde til livet, ikke længere var i overensstemmelse med de vilkår livet bød på.

Hun døde, fordi hun ikke ville akceptere en fornemmelse af at skulle leve på præmisser, opstillet af andre.

Måske følte hun, at hun havde fået tilstrækkelig mange sjælelige hudafskrabninger.

Det var min skyld hun traf Sten Runge.

Men hørte hun efter, da jeg sagde, at det var et menneske, man skulle vogte sig for? Fordi han var så rasende egobestemt og selvhævdende. Og i sine forudsætningers vold?

Jo, hun lyttede. Også da jeg fortalte hende, at dette højtbegavede menneske efter min mening inderst inde var begrænset og forstod meget lidt af det, der virkelig er væsentligt.

Hun lyttede. Men protesterede, da jeg sagde, at det var en håbløs opgave.

For hun troede på den helt elementære kærlighed.

Hun troede, at der var håb, hvis man for alvor holdt af, og hvis der på nogle punkter var respons, netop så meget, eller så fortvivlende lidt, som hun fik hos Sten Runge.

Hun troede, man kunne ændre et menneske.

Troede, at hun var i stand til at fremelske varme og det talent, han var ved at drikke i stykker.

Hun troede, hun med sin varme krop kunne hjælpe ham over hans angst for berøring, hans lukkethed, som han skjulte under en overfladiskhed hun ikke foragtede, men havde ondt af.

Ved du præst, nej, hvor skulle du vide det fra? Og hvis du vidste det, ville du ikke forstå det. Men hør her, hvad hun sagde om Sten Runge, før hun rejste til Langeland. Det var

217

kloge ord, som gælder alt for mange:

– Han er så bange, sårbar og bange. Det er der vist ingen der har sagt til ham, ingen der har turdet, og kun få, der har gennemskuet. Men hans karriere, hans selvbevidsthed, alt stammer fra et vellykket forsøg på at neddæmpe den uforståelige og aldrig gennemtænkte og derfor aldrig gennemarbejdede angst.

– Vi kan jo heller ikke vide, hvordan Le Holms liv ville have formet sig fremover. Vi kan kun beklage, at heller ikke salmens sidste strofer nåede hende, hjalp hende i sygdommen. „Urolige hjerte! luk op for Guds fred, som dulmer al smerte og smiler derved."

Le Holm fik ikke den fremtid, hun nok, mens hun var rask, ventede sig meget af.

Hun fik ikke mulighed for at se sin datter vokse op, men hende er der heldigvis andre, der tager kærligt hånd om.

Og Le Holm er ikke fortabt. Ligesom Gud tager vare om os, vil han tage vare om hendes sjæl.

Selvom vi sørger i dag, må vi aldrig glemme, at Guds nåde er over os alle. Amen.

Så fulgte et ritual. Og Lene sad og var irriteret over sin vane med at græde af arrigskab og vrede. Andre ville tro, det var af rørelse, og hun var bestemt ikke rørt over præstens tåbelige, misforståede tågesnak.

– Ved du, Lene, havde Le engang sagt, – det mest tragiske ved mænd –i hvert fald dem jeg har kendt – men det må gælde mange flere – er at de har så mange ubrugte eller forspildte muligheder i sig. Så mange følelser kulet ned, så de fleste aldrig får dem op til overfladen igen. De forbliver ubrugte.

Lene huskede tydeligt den aften. Fordi de havde talt om, hvorfor de altid snakkede om mænd på den måde. De erfaringer de havde, ville også gælde en del kvinder. Hvorfor gjorde de den forskel?

– Fordi der er forskel på mænd og kvinder, havde Le sagt, – og jeg kan – måske beklageligvis – bedst lide mænd.

Da de havde sunget salmen, præsten havde citeret så flittigt, tog han skovlen og smed jord, sand konstaterede hun, på ki-

218

sten. „Af jord er du kommen", og lidt mere sand, „til jord skal du blive", og sidste skovlfuld sand, „og af jord skal du igen opstå".

– Til aske skal du blive, Le.

Derefter sang de Le's yndlingssalme, Jakob Knudsens „Se nu stiger solen af havets skød".

Men, tænkte Lene fortvivlet, Le ville blot have konstateret: stemningen var ikke til at redde.

De sad stille, orgelet spillede, og kisten sank langsomt ned i gulvet, ned i forbrændingsovnen.

Det hele havde varet en halv time så hun på uret. Hun havde følt det som en evighed.

Hun skyndte sig ud. Hilste på Morten og et par af Le's kolleger, og nærmest løb ud til sin bil.

Hun satte sig ind, tændte en cigaret og satte nøglen i tændingen. Rystede voldsomt på hænderne, inhalerede dybt og pressede hænderne mod ansigtet, mod sine øjne.

Jeg burde ikke have taget mascara på, tænkte hun. Og øjnene sved, og hun gned, og øjnene sved ikke på grund af mascara, og hun hørte sig selv stønne og le en latter, der var tør og ru og snarere en hulken.

Le, tænkte hun, jeg er bange for du har ret. Den idiotiske præst, den idiotiske psykiater.

Le, du vidste, hvad du gjorde. Præsten har ikke forstået en lyd af det hele. Du var ikke syg. Du var rask. Du så klart. Hvis du var syg, så er vi mange der er det.

Eller også er de raske syge og de syge raske.

Le, hvad tænkte du, da du gik ind i det frembrusende tog? Hvad du tænkte, hjalp dig ikke. Men gid jeg vidste det.

Le, hvad tænkte du? Måske kunne det hjælpe os andre? For hvordan fastholde virkeligheden, når det er den, der virker og bliver mere og mere afsindig.

Den forbandede præst, tænkte hun, endnu en af slagsen. Men Le ville aldrig have sagt forbandet, kun stakkels.

Hun inhalerede igen, mærkede en svag kvalme, startede bilen og bakkede ud.

Le, en trøst er det, at du slap for at høre dit livs sidste knudemand. Men han var der også i døden.

Tog endnu et drag af cigaretten, satte bilen i gear og kørte hjem.